JN087901

アメリカと共に沈む日本

このままでは日本は道連れ！

山中 泉
Sen Yamanaka

ビジネス社

はじめに

第三次世界大戦は始まっている。

しかも、これは最終戦争になるのかもしれない。

戦争といってもウクライナ対ロシア戦争や、イスラエル対ハマス、中国による台湾侵攻、朝鮮戦争の再開などを指すのではない。

最新兵器を使ったり、人の血が流れたりする戦争ではなく、主に情報戦だ。検閲、情報統制、プロパガンダ、洗脳、歪められた教育など、何重にも仕掛けられた複雑な情報戦が、これまで計画的に進められてきた。

我々はその渦中に生きている。

戦いは、「国家の枠をなくし、ごく一部の少数者が世界を一元的に管理・統制することを理想とするグローバリスト」と、「国や民族ごとの歴史、伝統的な文化や価値観を尊重し、相互に調整しながら生きていくべきだと考える反グローバリスト」との間で行われている。

そして私は、反グローバリズムの側に立つ人間だ。

1980年に渡米し、アメリカで生活を始めて以来、43年ほどの間、日本とアメリカを頻繁に行き来してきた。

詳しくは本文に譲るが、イリノイ州シカゴでいくつかの会社を興し、よき伴侶を得、2人の娘にも恵まれた。従業員を雇い、納税し、様々なビジネスを続ける中で、アメリカという国の強さと弱さを内側から見てきた。

私は日本人として、類まれな美点を持つ母国を愛すると同時に、チャレンジを受け止めてくれたアメリカに対しても深い感謝の念がある。

アメリカも日本も、この間に大きく変わった。変質したと言っていい。

世界経済を強力に牽引し、最強の軍事力を背景に「世界の警察」を自認し、「デモクラシーの手本」と考えられてきたアメリカ。何よりも正義(ジャスティス)を重んじる、その良きアメリカは、すでにない。

不法移民と麻薬中毒患者、そして犯罪が激増し、国民はインフレに喘ぎ、文化的マルクス主義に侵食された過度なポリティカル・コレクトネスの影響で、崩壊寸前にある。大規模な内戦の危機さえ迫っていることを、私は憂慮している。

日本はどうか？

昨2023年、数十年ぶりに1年のほとんどを日本で過ごした私の目に映ったのは、大きく衰退した母国の姿だった。

自信を失い、米国バイデン政権の顔色を窺い、全ての命令に対して薄笑いで追従し、国民の血税を際限なく手渡す政権。日本人が誇りとしてきた企業の多くがすでに外資に買収、あるいは大幅な株式所有を許している。

美しい山野や海を破壊して、非効率で危険なメガ・ソーラー施設や巨大風車を建設し、せっせと環境破壊している。

子供は生まれない。人手が足りないという名目で、外国人労働者を際限なく導入しようとしている。このままでは、日本は消えてなくなってしまう。

過去に上梓した2冊の本で、私は「日本のメディアからはけっして知ることができない本当のアメリカ」を伝えてきた。ブラック・ライブス・マター（ＢＬＭ：Black Lives Matter）運動の放火・略奪、20年の大統領選挙で起きたあり得ない逆転、コロナ禍での抑圧、左翼に乗っ取られたメディアや司法の実像。

一方で、全米各地でそうした流れに抗し、デモクラシーを守ろうと闘っている草の根の人たちの姿も描いてきた。

本書では、アメリカ崩壊の危機だけでなく、久しぶりに日本で長く過ごしたことで気づかされた「日本の危機」にも光を当てた。そして、「どうすれば日本を取り戻せるか」という提言も試みた。

日本でも、危機に立ち向かうために立ち上がった人たちの新しい流れが生まれている。

日本とアメリカとは特別な関係にある。正しく言えば、これは同盟関係などではなく、敗戦以降連綿と続く「日本がアメリカに一方的に支配され、従属する関係」だ。

軍事・経済・政治の全分野ですでに完成された「支配⇕従属」関係をどう解消していくか？　敵対するのではなく、日本が真の独立を現実に摑み取るためにはどうしたらいいかを考えることが、これからの最大にして喫緊のテーマだろう。

24年は世界大乱の1年となる。何が起きても不思議ではない。

1つだけ確かなのは、11月の大統領選挙でトランプが大統領に復帰できなかったとき、世界はさらに深く、大きな混乱に陥る。

今まで同様、ただアメリカに追従するだけならば、日本は滅びる。

日本とアメリカが、「支配⇕従属」関係から、「対等・平等」な関係になったとき、我々と草の根のアメリカとの間で本当の友情が生まれる。
その日のために、大きな敵と闘っていきたい。
2024年元旦

山中　泉

アメリカと共に沈む日本

目次

第2章 ウクライナは「明日の日本」──他国に国防を頼る亡国の姿 121

3. 食料自給率の低い日本を狙うグローバリスト企業 197

番外編　私が国際交流から得たもの 285

あとがき 299

序　章

2024年、世界激変の年の読み方

1．パクス・アメリカーナの終わりで、世界はどう変わるか

２０２４年、世界は激変する。第二次世界大戦以降、かつてなかったほどのショックに対して備える必要がある。

対立の軸は、すでに述べた「グローバリスト」と「反グローバリスト」の間にあるだけでなく、実像はもう少し複雑だ。

１月１日、ＢＲＩＣＳ加盟国は10カ国に拡大した。

ブラジル、ロシア、インド、中国、南アフリカに加え、エジプト、エチオピア、イラン、サウジアラビア、アラブ首長国連邦の５カ国が加わった。アメリカを中心としたＧ７を軸とする既存の〝大国〟と対立する「グローバル・サウス」側は、今後、急速に勢力を増していくと見られている。

特に長く中東で最も親米国であった世界最大の産油国サウジアラビアがＢＲＩＣＳに加わった意味は、途轍もなく大きい。世界は刻一刻と〝脱ドル化〟に向かって動き始めた。その動きの背景にある最大の要因は、言うまでもなく超大国アメリカの凋落だ。

20世紀の覇権をほぼ一手に握ってきたアメリカとドルによる世界支配が、今、本当に終わろうとしているのだ。1989年にベルリンの壁が崩され、91年にはついにソ連が崩壊し、アメリカは「これで世界は自分のもの」と思ったわけだが、そうはならなかった。

一方、安価で豊富な労働力を背景に経済力と軍事力を伸ばし、中南米、アジア、アフリカ諸国にまで一気に影響力を広げてきたのは中国だったが、GDPの30%を占めるという不動産のバブルが昨年来崩壊し、経済的基盤が大きく揺らいでいる。政権内部の人事を見ても不安定要因は加速しているように見える。独裁的権力は、内部にコンフリクトを抱えると、外部に敵を作ることで転嫁しようとする。日本にとって脅威は増大している。

バイデン大統領は、露ウクライナ戦争勃発でロシアに経済制裁を科して一気にロシアを追い詰めようと目論んだが、逆に、ロシアと中国という二つの巨大軍事核大国を急速に近づけるという愚を犯した。

もっと情けないのは、そのバイデン政権にただ追従したわが国政権の無策だ。プーチンから「日本は敵国」とみなされ、ロシアのサハリン1・2という石油・天然ガスの貴重な供給源をむざむざ失い、化学肥料の原料であるカリウムの入手もできなくなった。北方領土返還などは夢のまた夢になってしまった。

そして、現実にルーブルは全く痛手を受けることなく、ロシア経済はむしろ強さを増した。世界の石油は「ドル建て」以外で初めて取引されるようになり、世界は〝多極化〟に向けて一気に走り出したと考えるべきだろう。

かつて欧州、中東、東アジアという三方面の戦争を同時に遂行できると言われた米軍の力は大きく凋落し、今では1つの地域戦争に勝利できるかどうかも疑問というほど落ち込んでいる。というより、実はアメリカは第二次世界大戦以来、戦争には1つも勝利していない。朝鮮戦争、ベトナム戦争から2021年の史上最も惨めな撤退と言われたアフガニスタンまで負け続けなのだ。その世界の戦争や地域紛争の大半はアメリカが起こしてきたものだ。アメリカは、残念ながら義によって戦争しているのでなく、巨大なビジネスになるからこそ、いつも戦争を始める。だが、トランプは就任期間中に米軍に戦争をさせなかった極めて稀な大統領なのだ。これは厳然たる事実なのに、日本のマスコミはこのことを伝えようとはしない。

米国メディアの偏向は、民主党腐敗の反映

日本のテレビ・新聞・ラジオ・通信社などの主要メディアは、トランプという人間を徹底的

に貶める報道をしてきた。いや、たった今でもそうだ。日本でテレビをつけると、「次の選挙で、もしトランプが大統領になってしまったら……」などと、キャスターが普通に発言している。中立も公正もそこには存在しない。最初から異常者扱いだ。

ワシントンDC、ニューヨーク、ロサンゼルスなどに特派員を常駐させていても、現地で独自に取材して自分の意見を報じている日本のメディアは皆無だ。アメリカの主要メディアがどう報じているかを、ただ日本語に訳して転送するだけというのがその実態なのである。

ニュースソースたるアメリカの主要メディアのほうは、ほぼ全てが民主党寄りでバイデン政権寄りの報道に終始している。詳しくは本編に譲るが、グローバリストがメディアの経営権・編集の人事など、全てを握っているからにほかならない。

メディアや官僚たちがトランプを嫌い、恐れるもう1つの理由は、「何をやるかわからない」、つまり行動の予想ができないからだ。

各国の政権を長期にわたって支えてきた官僚たちは、外交や貿易の歴史を実績としてルール化し、判断の基準にする。

しかし、トランプは過去の常識にまるで囚われず、全てをディールとみなして誰ひとり想像もしていなかった判断をすることも多い。

これは対する側の国からすると極めてイヤな相手だ。今までは通用した外交上のルールが一切通用しないということになるからだ。スポーツでも将棋のような勝負事でも、定石から外れた奇手をどんどん打たれるのが一番嫌だろう。

中国との貿易交渉が不調に終わった翌日に大統領令を出し、「明日から対中国の関税を15％上げる」などということを、いつでも誰を相手にしてもやりかねない。これは怖い。

〝バイデン・ジャンプ〟で始まった政権は、就任初日から世界を壊し始めた

2020年、現役大統領として、あの人気絶頂期のオバマさえも凌ぐ7400万票を獲得したといわれるトランプだが、激戦州6州で深夜に郵便投票の開票が始まってから、世界中が目撃した奇妙極まりない〝バイデン・ジャンプ〟が起こり、逆転で大統領はバイデンに決まった。

大統領就任式当日の21年1月20日、バイデンは17本の大統領令にサインをした。

そのうちのいくつかが、即座にアメリカと世界を崩壊に向かわせることになった。

例えば、コロナ関連だと「WHO（世界保健機関）への復帰とアンソニー・ファウチ博士のWHO米国代表への任命」、環境関連だと「キーストン・パイプラインの停止と、トランプによる100本の環境政策の廃止」、「パリ協定への復帰」などがある。

さらに、民主党や全メディア（日本も含めて）がトランプの馬鹿げた悪事の象徴であるかの

ように嘲笑していたメキシコ国境の壁建設は、やはり正しかったことを、やがてアメリカの大都市の市民は思い知ることになった。

バイデン政権成立以後、世界160カ国から不法移民が南米やパナマ経由でメキシコ国境を越え、その数は把握できているだけですでに800万人以上。1200万人を超えるとの情報もある。不法移民が現在のアメリカを大きく揺るがし、悲劇を拡大させていることは、後で詳しく述べる。

民主党内の極左環境派の言い分を聞く形で、キーストン・パイプラインからの石油・天然ガスを停止させた判断は、世界同時インフレの導火線となった。なぜなら、シェールオイル、シェールガスによってエネルギー輸出国となっていたアメリカが、この日を境に輸入国に転じたからだ。世界最大の石油消費国が輸出国から輸入国に転じたことで市場には激震が走り、当然エネルギー価格は急騰した。

アメリカのインフレは、露ウクライナ戦争が発端ではなく、この日からスタートしたのだった。米国内ではあっという間に高インフレによる生活苦が始まり、不法移民とともに国内に入った「膨大な麻薬」、「シンジケートの元犯罪者」、「子供たちの人身売買」などを含めて犯罪率の急上昇が起きている。

アフガニスタン撤退による地政学的変化がウクライナ、中東紛争を呼んだ

詳しくは前著『アメリカの崩壊』（方丈社、2022年）に譲るが、2021年8月には、米国史上最も惨めな敗退と言われた米軍のアフガニスタン撤退が起きた。私は同著の中で、「この弱体化した米軍のあたふたとした撤退を一番よく見ているのは敵国指導者のプーチン、習近平、イランをはじめとする反米中東諸国リーダーたちである」、そして「アフガニスタン撤退は大きな歴史の歯車を動かす」と書いた。不幸にしてこの予言は的中し、惨めな撤退の半年後にロシアのウクライナ侵攻は起きた。

その後の流れはご承知の通りだ。

23年10月には、ガザ地区のハマスによるイスラエルへの攻撃と200人を超える人質の拉致誘拐が起こり、反撃・掃討作戦を続けるイスラエル軍による攻撃で、ガザのパレスチナ側死者数は優に2万人を超えてしまった。痛ましい限りだ。

そして、強硬なネタニヤフ政権をバイデン政権が支持し、援助し続けることが米国内で新たな大きな火種になり始めている。

繰り返しになるが、全メディアが寄ってたかって「凶暴で」「粗暴で」「何をしでかすかわか

らない」というレッテルを貼りたがっているトランプは全く戦争を起こさず、穏健な中道派だったはずのバイデン政権ではすでに2つの戦争が起きている。

アメリカはウクライナに対してすでに2000億ドル（約30兆円）規模の支援をし、イスラエルにも多額の援助をする必要があるから手が余るとして、日本から岸田首相を呼びつけて「ウクライナ再建の資金は日本が出せと命じ、同意させた」と、バイデンは発言している。

〝弱い大統領〟がアメリカを凋落させている。

日本は、こんなアメリカに頼ったりしてはいけない。アメリカは、絶対に日本のことを守らない。その気も、能力もない。

追従すれば滅びるのは日本である。

しかし、単純に敵に回すわけにもいかない。では、どうすればいいのかを考えるのが本書の目的である。

2. 本書の内容

本書の各章の内容を見取り図的に紹介しておきたい。

第1章では、アメリカの分断の正体、現在進行形の実像について

扱っているトピックは、前回の大統領選の不正、人種・ジェンダーを煽ることでさらに激化している米国内での分断と対立。また、コロナ禍で貧富の差がさらに拡大し、ミドルクラスが解体され、生活保護受給者も増えている現実。バイデン政権のグリーン・トランスフォーメーションとともに一気に進んだガソリン高の結果としての猛烈なインフレなども網羅している。

アメリカ社会の分断が進んでいるとの指摘は多くの識者がしているが、実態は、民主党と共和党の対立といった単純なものではない。

分断と対立を求め、進めている者の正体とは共和党、民主党よりずっと上で両方の首脳たちへ巨額の資金を提供しているドーナー（資金提供者）クラス。両方に資金を渡してケンカさせ

ているわけだが、民主党側のほうが近年ははるかに取り分が多い。

現実に両党に対してロビイングしているのは、かつては共和党タカ派と近かった軍需産業を代表する軍産学複合体や、コロナワクチンで巨額の利益を得ているファイザーをはじめとする医薬産業複合体、近年は絶大な影響力を持つＧＡＦＡＭ（Google, Apple, Facebook [Meta], Amazon, Microsoft）などのビッグテック。そして彼らのお先棒を担ぐのが大手主要メディアと長年政権の周囲にいる官僚たち。

全体のバックにいて、利権全体を複合的にコントロールしているのは、ウォール街の国際金融資本と、ごく少数の本当のオーナーたちということになるのだろう。

こうした巨大な力を持つ全体像がグローバリスト勢力だが、グローバリストも一枚岩ではなく、いくつもの利害関係グループが入り組み、離合集散を続けつつ、マネー・ゲームを繰り返しているのである。

世界中の主権国家の上に立ち、国連などを含む〝国際機関〟のほぼ全ては、国連本部のあるニューヨークや、ＥＵ（欧州連合）本部のあるベルギーのブリュッセル、国際保健機関（ＷＨＯ）本部のあるスイスのジュネーブなどに主要事務所を置き、世界各国に対して、環境・医療（ワクチン政策を含む）・経済政策など、ありとあらゆることを「アジェンダ」として指示するようになっている。

象徴的なコンベンションが、毎年世界経済フォーラムによって開かれるダボス会議だ。

断っておくが、後ろで指示を出している人たちは、誰一人選挙によって選ばれてなどいない。ここには「民主的手続き」はかけらも存在しない。

アメリカの多様な生活者の声から判断する大統領選挙の行方

グローバリストがドナルド・トランプを心底憎み、ありとあらゆる手段を使って葬り去ろうとするのは、彼が長く勢力を蓄え、カネと権力を行使してきたグローバリスト勢力に対して、敢然とノーと言い放ち、アメリカ・ファーストを訴えて当選したからだ。

彼は政権を率いている間にＷＨＯや国連の実像に気づいたのだろう。「脱退する」と宣言し、米国からの資金の減額や停止のための大統領令を出し、サインしていた。

このときのマスコミの反応は、〝国際協力〟や〝国際協調〟を破壊する、とんでもない頭のおかしな奴が突然出てきたとの一色に染まっていた。だが、その裏のカラクリは簡単だ。

それらアメリカの大手主要メディアのほぼ全てはグローバリストの傘下にあり、経営はグローバリストが所有する企業群の広告に依存している。もっと言えば、メディアに入る以前に、小学校から大学に至るまでのリベラル偏向教育で、完全に洗脳は完了しているから、最初から逆らいようがないのだ。

日本マスコミの置かれた状況はさらにさらに悲惨で、米国メディアが出す情報をただありがたがって追いかけているにすぎない。だから、みんな一緒の報道基調になるのだ。

本書を読んでいただければ、２０２４年11月に行われる米国最大の行事である大統領選挙の見方がまるで変わるだろう。

私はアメリカの歴史を研究する学者でもジャーナリストでもない。アメリカで空手を指導し、日米でビジネスをしてきた人間だ。私の視点は、あくまでアメリカでの実体験をベースにしたものだ。私はシカゴの郊外に住んでいるが、本書では生活者であるアメリカ人の友人や知人たちのエピソードを中心に紹介している。

空手で数千人の弟子の指導をしてきたため、知人の範囲は極めて広く、多様なバックグラウンドを持っている。同じ経営者仲間やビジネスマンだけでなく、元軍人や警察官、医師・法律家など様々な職種、人種、クラスのアメリカ人たちと拳を合わせ仕事をしてきた。

業界関係者だと、ロサンゼルス、ニューヨーク、フロリダ州やカナダに住む仕事仲間も多い。ニューヨークやロスは、アメリカの中でも特にリベラルな街だと思われるだろうが、その中にもかなりの保守派が暮らしていることはあまり知られていない。近年は、共和党支持者のミドルクラスの黒人もずいぶん増えている。

なるべく幅広く、それら市井の人々の声を紹介したいと思う。

日本のメディアがいつまでたってもアメリカで起きている事実を報道しないことには、呆れるばかりだ。事実を知らなければ選挙に関しても、政策決定の見通しにしても正しい判断はできない。

日本人よ、いつまでマスコミに騙され続ければ気が済むのか、という気持ちである。

第2章では、「今日のウクライナは、明日の日本」という視点で

このような視点など、日本のメディアの専門家からはまるで出てこないだろう。彼ら〝専門家〟が出てきたテレビで話す内容は全て「悪いプーチンが可哀想なウクライナ人を攻撃している」という内容だ。断っておくが、私はロシアの味方でもウクライナの味方でもないし、どちらに肩入れをして本書を執筆しているわけではない。

ウクライナと日本にはそれほどの類似点があるわけではないが、1つ大きな共通点がある。それは両国とも、国の安全保障を他国にほぼ依存していることだ。

露ウクライナ戦争や、イスラエル・ハマス戦争などを私が見る場合、情報ソースは読者諸氏

とはまるで違うと思う。アメリカだけでなく、ロシア、インドや中東のメディアの報道もフォローし、なるべく複眼的に見ることを意識しながら得た情報が多い。

例えば、トランプ政権時に国防総省長官顧問をしていたダグラス・マクレガー元米陸軍大佐の情報や識見に接している日本人は少ないと思うが、私は非常に正確な発信であると信頼し、フォローしている。彼による情報の紹介は、参考になると思う。

第3章では、改めて気づいた日本の問題について

第3章は、日本について語る。

2023年春から東京に拠点を開設し、数十年ぶりに長期間日本に滞在した。それで、改めて見えてきた日本の問題点や課題について「日米で長く仕事をしてきた者の視点」で考えてみた。

23年、東北地方を中心に多くの地方都市を回っている間に、地方の経営者、サラリーマン、主婦や働く女性、農業、漁業関係者たちとも膝を付き合わせて話を聞くことができた。特に東北で深刻な問題になっている経済の疲弊の現状、あるいは、急増している不登校と精神疾患を訴える子供たちへの教育問題、再生エネルギーという美名のもと、ソーラーパネルや巨大風車

など、「再エネの墓場」になっている地方の現状。戦後長く継続する著しく低い食糧自給率、完全に同盟国アメリカに頼り切った国防の脆弱性などについて論考をしている。

もちろん、専門的な説明を試みているわけではないが、将来の日本を考えるときに避けて通れない重要な課題と私が感じたトピックスを列記してみた。

それらの分野にさらに深くご興味がある方は、本書で引用している書籍や文献等をお読みになることをお勧めしたい。

第4章では、アメリカの外交失敗の歴史と日本のとるべきスタンスについて

アメリカという国家は、第二次世界大戦後、中東や欧州・中南米で何度も戦争に介入し、そのほとんどに失敗してきた国だ。その事実から、日本というより〝日本人〟がどのようなスタンスで国の防衛や外交に向き合うべきかということを考えてみたい。

この第4章では、露ウクライナ戦争とイスラエル・ハマス戦争の日本への影響について、欧米の主流派でない元米軍の専門家の意見や、ロシアや中東、インドのメディアなどによる分析を紹介する。

また、私がここ数年日本とアメリカで行ってきた取材や発信活動などに関しても紹介している。

番外編では、山中泉の国際交流の活動、そのルーツなどに触れてみた

ビジネス活動だけでなく、主に日米間での文化・音楽交流活動や、シカゴのオリンピック招致委員会で招致委員として活動したときのこと、そのとき感じた国際オリンピック委員会（IOC）と米国オリンピック委員会（USOC）との関係や鍔迫り合いといった、生々しい話題にも少し触れてみたい。アメリカと世界のグローバリズム本部との関係や、全くそこにはお呼びでない日本の立ち位置もご理解いただけると思うからである。

「君は日本人か。かわいそうな国民だね」
――ポーランド移民に言われて気づいたこと

1980年に渡米し、すでに人生の半分以上をアメリカで過ごしてきた中で、アメリカ人からは一度も言われたことのない言葉をかけられた経験がある。

2019年、私の住むシカゴ郊外でタクシーに乗ったときのことだ。

そのタクシードライバーは、ポーランドから来た移民のドライバーで、ポーランド訛りの英

語で私と会話をしていたのだが、彼が非常にインテリジェンスのある人間であることはすぐにわかった。

日本では知られていないだろうと思うが、実はシカゴは、190万人のポーランド人が住む、ワルシャワに次ぐ世界第2のポーランド系人口を擁する街なのだ。そして、ポーランドは代表的な親日国でもある。

私も、現地で大勢のポーランド系アメリカ人に空手の指導をしてきた。彼らは一様に、非常に大きな体とタフなハートを持つ人々であった。

ポーランドの大学で優秀な成績を取っても、やはり言葉の壁の問題もあり、アメリカでは良い職を得られないケースが少なくない。彼もそんな一人であった。

私が日本人であるということを知った彼は、一言こう言った。

「君は日本人か。かわいそうな国民だね」と。

私はこの言葉に衝撃を受けた。今までアメリカ人から一度もそんな言葉をかけられたことはなかった。しかし、会話を続けるうちに、彼がポーランド人であるということ、そしてポーランドは国土をドイツ、ロシアという2つの強国に囲まれており、歴史上何度も占領される悲惨さを味わってきた国民だからそんなことを言ったことがわかった。

日本が今なおアメリカの植民地状態にあるということを、彼は〝我がこと〟のように的確に見抜いていたのである。

遠からずして、日本にいるときに、この発言を思い出させられる報道に私は接した。

本書でも触れる、LGBT理解増進法案の成立である。

この法案は、自民党部会の中でほぼ何の議論もないまま、しかも8割の自民党議員が反対する中、議長一任という形で、採決さえせずに野党と談合し、一方的に通してしまった。

唯一、党として反対したのは、参政党の神谷宗幣参議院議員だけであった。

この一件の真相はこうだ。駐日アメリカ大使であるラーム・エマニュエル（総督）が、「このLGBT法案を通せ」と猛烈に官邸にプレッシャーをかけ、自民党の8割の議員が反対していても強行突破させるという、いわば内政干渉を続けた結果の法案成立だったのである。

つまり、日本国民が選んだ国会議員たちがどれほど反対しようと、宗主国であるアメリカが決めたことなら唯々諾々と聞かざるを得ないことが、改めてはっきりとわかったのである。23年の時点でも、この国はアメリカの植民地なのだという事実を日本中に明確にさらした一コマであった。

だが何より悲しいことに、全マスコミはいつもの通り、反対や抗議はおろか、法案成立の経緯も本質も報道することはなかった。

大半の日本人はその真相や意味合いを今日も知らないで過ごしているはずだ。

今のアメリカに追従していたら滅びる。一日も早く関係を見直せ

以前は「アメリカに起きたことは5年、10年後に必ず日本にやってくる」と言われたものだが、今は「アメリカで起きていることは、明日には日本で起きる」というほど、時間の流れは変わった。

それが1980年に渡米し、ここ数十年、日米の間を年に数回行き来してきた私の偽らざる実感である。

経済だけではない。教育、政治、社会、犯罪、外国人移民問題、トランスジェンダー問題など、この数十年の間に米国で悪化してきたいくつもの事象、つまり国家の主権も文化も破壊する諸問題は、日本ですでに起き始めている。

本書ではアメリカで起きている様々な問題を取り上げるが、これは「対岸の火事」ではない。アメリカに追従せず、いかに日本が真の独立を勝ち取るかが本書のテーマである。

それを念頭に置きつつ、本書をお読みいただければと希望している。

第１章

崩壊が進むアメリカ
――バイデン政権下で起きていること

1. 欧米に巣食うグローバリストのエリートたち

選挙も経ずに強大な権限を振るうグローバリストたち

現在の世界の対立軸は、以前のような単純な「右派 vs 左派」「保守派 vs リベラル」、アメリカで言えば「民主党 vs 共和党」といったようなものではなくなっている。世界各地で実際に起きている対立は、「グローバリストのエリート階級 vs ワーキングクラスと草の根の大衆」へと変化してきている。

では、グローバリストとは何か。

その定義はいくつかあるのだが、単純に言えば、世界を一元化し統一政府を目指す勢力だ。国際連合、EU、WHOなどの超国家機関を使って、経済政策、ワクチンを含む医療政策、LGBTQなどのジェンダー教育を進める社会政策、あるいは移民などの外交政策を一元化し、それを各国政府に強要しようとする勢力である。これらの組織にいる人たちは、一人として各国の国民から選挙で選ばれた人々ではない。

この勢力は各国に静かに浸透しながら、各国の持つ主権を侵害し、それぞれの国・地域が持つ歴史や文化を否定し、さらには言語までも奪い始めている。

最近の一番良い例を挙げれば、グローバリストは、地球温暖化の原因とされるＣＯ２削減のため脱炭素化の美名のもとに環境政策を展開している。さらに、新型コロナウイルスのワクチン接種に代表される医療政策への強烈な干渉、ＥＵ域内における通貨統一としてのユーロを創設、各国の経済政策への直接的な干渉、さらにはアフリカや中東からの移民に対し、ＥＵ加盟国への移民政策の強要などを推進してきた。

このうち医療政策では、２０２０年から新型コロナのパンデミックが起こったとき、まだ安全性データの出ていないｍＲＮＡワクチンの強制接種が世界規模で実施された。

移民政策ではドイツ、フランス、北欧をはじめヨーロッパ諸国は一気に大量の移民を抱えることになり、移民への福利厚生・医療費等の大幅負担増などでＥＵ各国経済は悪化し、失業率や犯罪率が上昇し、主権さえ脅かされる事態に至っている。

私が親しくしているジャーナリストの我那覇真子さんは、ヨーロッパでの取材中、オランダのアムステルダムのカフェに入ってオランダ人ジャーナリストがオランダ語でコーヒーを注文しても、ウエイトレスが理解できず驚いたと体験談を話してくれた。すでにアムステルダムでは自国のオランダ語でなく、英語しか通じない現実が起きている。

アムステルダムのような国際都市では、グローバル政策の一環として大量の移民を受け入れている。ヨーロッパに入った移民たちは、国家の壁のないEUの中を自由に移動できるため、EUで一番移民に手厚い保護をするオランダに大量に流入しているという。これこそが、まさにサイレント・インベージョンで、このようにグローバル政策が静かにオランダを侵食しているのだ。

そんなことは日本ではあり得ない極端な話だと思う人もいるかもしれない。しかし先進国でも突出して低い日本の出生率が続き、中国や東南アジアから来た人々が高い出生率を維持している現状では、岸田政権がさらにいっそう移民を入れる政策を進めていった場合、ある時期から日本でも喫茶店で中国語しか通じないという事態にもなりうる可能性はある。

いずれにせよ、グローバリストたちは国・地域の選挙で選ばれた議員たちの権限をはるかに超える力を持つようになってきた。その力で日本に移民を強制的に押し込んできたら、日本語が通じない場所が広がっていく可能性はけっして否定できないのである。

勝つはずのなかったトランプが勝った2016年大統領選

2016年11月のアメリカ大統領選の結果は、米国民だけでなく多くの日本国民にとっても衝撃的だっただろう。ヒラリー陣営は100%勝利を信じていたのだが、大逆転のどんでん返しが起こり、トランプ勝利、ヒラリー敗北という結果になった。

それまでも私は二十数年間、年に3回は日米間を往復してきたが、同年夏、仕事で帰国すると、ほぼ全ての日本のマスコミは「民主党ヒラリーの勝利は間違いなし」と報じていた。日本のテレビに出てくる元外交官や大学教授などの専門家たちも口を揃えて、「トランプなどという不動産屋上がりの人間に大統領など務まるわけがない」とトランプを誹謗中傷していたし、私の知り合いの日本の経営者たちもほぼ全員、「100%ヒラリーの勝ちだ」と断言していた。

一方、シカゴ郊外の私の周りでは全く状況は違っていた。

私の住むシカゴ郊外は住人の約80%は白人が住むエリアだが、経営者や会社勤めをしているミドルクラスの人たちも多く、多くが無党派層だった。この無党派層は、過去1~2回、大統領戦で民主党のオバマに投票したという人が多かったのだ。オバマは白人の無党派層を取り込むことに成功していた。

だが、16年のヒラリーvsトランプの大統領選挙は違った。無党派層は、オバマと同じ民主党であってもヒラリーではなく、共和党のトランプに投票するという人が同年夏から急速に増えていっていた。この状況の変化は日本ではほとんど報道されていなかった。

アメリカの大手主要メディアのほぼ90％は民主党系左派かリベラル系なので、反トランプ一本の報道基調となる。日本のマスコミはその反トランプの報道をただ翻訳しコピーした報道しかしていなかった。

日本の国民からすると、一方的に偏った情報だけしか伝えられていなかったことになる。私はそうした日本メディアのあり方に強い危機感を持ったからこそ、シカゴから自ら情報発信を始めた。

真逆な支持基盤に変貌した民主党と共和党

1960年代の初期、アメリカ大統領となったジョン・F・ケネディの時代の以前から民主党は、ワーキングクラス、ミドルクラス、マイノリティ（黒人、スパニッシュ系）などを支持基盤としてきた。

ところが近年は、ウォール街の国際金融資本、大企業、軍産複合体、巨大な製薬業界、メディア業界、ビッグテック（グーグルやメタなどSNS企業）などから巨額の寄付金を受け、それら勢力の利益を代弁する党に変質している。

軍産複合体の実態とは、政府の国防支出に大きく依存する軍事兵器産業を中心に、ワシントンの政治家たちへ巨額の寄付金をバラマキ、これまた巨額の軍事予算を計上させ、自らの利益のために働いている勢力だ。彼らはマスコミも味方に加え、莫大な軍事予算の増大を図っている。アイゼンハワーが61年の大統領退任演説で軍産複合体の存在を警告して以来、政治用語として定着した。

また、民主党の変質については別の側面も指摘しなければならない。特にベトナム戦争以降は、アメリカの有名大学でマルクス主義者および共産主義者の教授たちからの教育を受けた大勢の卒業生たちが民主党や大手メディアに入り込んでいった。

結果として民主党や多くの大手主要メディアから過激な左派的主張が発信されることが顕著になってきた。

民主党は、新たな人種差別主義である〝批判的人種理論（クリティカル・レース・セオリー、CRT）〟に基づく過激な人種政策やLGBTQのジェンダー政策などをアメリカ国内のみならず、このアメリカ発の過激なイデオロギーを世界で推し進めるようになった。

今でも陰謀論扱いされることが多い欧州で始まった世界の統一政府を作るというグローバリストの行動は、結果的にEUを作ることに成功し、ワン・ワールド（世界統一政府）へ向け着実にWHOなどを使い、世界中で同じパンデミック政策を進め、ワクチンを各国の国策として強制させる体制を作り始めた。アメリカでは、その橋頭堡が民主党というわけである。

このように、民主党は着実にアメリカではグローバリズム運動の母体となるような政党に変わってきたのである。

対して共和党は、かつては地方のお金持ちの人々が集まる政党だった。よく言われたように、ゴルフ倶楽部でプレーをして政策論議を進めるという特権意識が強かった党だ。それを一変させたのがトランプにほかならない。

トランプは2016年の大統領選に臨み、共和党の支持基盤を富裕層からミドルクラスやワーキングクラス、黒人、ヒスパニック系、アジア系などマイノリティの人々を中心とした党につくり変えた。

中でもトランプを強力に支援しているのが「アメリカファースト」のMAGA（Make America Great Again）を支持するフリーダム・コーカス（自由議員連盟）の議員たち、共和党の保守の中でも強硬派（日本では極右とも呼称されている）の人々である。

これらの勢力は、22年11月の中間選挙において下院議会で多数派を取ったことを機に、共和党の内部で大きな影響力を発揮することになった。

しかし、23年10月3日に、アメリカ政治史上初めて下院議長の解任が決定した。このときもフリーダム・コーカスの共和党議員8人がマッカーシー下院議長の解任動議に賛成したためだ。もちろん反対勢力の民主党議員はその動議に全員賛成した。結局、代わって下院議長に選ばれたのは共和党のマイク・ジョンソン下院議員だった（マイク・ジョンソンについては後述する）。

各国で反グローバリズム政党が続々と勝利を重ね始めた

2022年は大きな反グローバリズムの新たな流れがヨーロッパから起きてきた。

それまでの構図は、超国家的な権力と巨額のマネーを仕切ってきた世界のグローバリズムの総本山であるEU、国連やWHOなどの国際的な組織が世界の各国・地域において経済・環境・医療政策を推進してきたのだ。それに対してヨーロッパ各国の一般の人々は、はっきりとノーという姿勢を示し始め、新たな反グローバリズムを表明する政党を支援するようになってきた。

それは以下のような国々で大きな保守と反グローバリズムの動きを引き起こしている。

【フランス】

22年4月のフランス大統領選で現職のマクロンは国民連合の党首マリーヌ・ルペンを押さえて大統領に留まった。

ルペンは移民規制を掲げて、EUからの「主権回復」を訴えているため、極右と称されている。ルペンは大統領選では敗北したものの、その後のフランス総選挙（国民議会：下院）ではマクロンの右派連合アンサンブルがかろうじて245議席を獲得し多数派となったが、過半数の289議席にはまるで届かず、歴史的な敗北となった。

【イタリア】

22年に初の女性首相であるジョルジャ・メローニが誕生した。彼女は中絶、安楽死、同性カップルのパートナーシップ、同性の結婚と子育てに反対していて、右翼ポピュリストあるいはイタリア民族主義者と評されている。

【チェコ】

東京の板橋区高島平生まれの日系人で「チェコのトランプ」と呼ばれているトミオ・オカムラは、母親がチェコ人、父親が日本人と韓国人のハーフである。15年に設立した「自由と直接民主主義（ＳＰＤ：Svoboda a přímá demokracie）」は17年の選挙で22議席を獲得し第3党になった。

【フィンランド】

23年4月の議会選でマリン首相率いる中道左派の与党・社会民主党（ＳＤＰ）が第3党に転落し、穏健保守の国民連合（ペッテリ・オルポ党首）が第1党を奪った。ＥＵに懐疑的な極右政党の野党フィン人党も第2党となった。フィン人党は、欧州各地で広がる移民受け入れに反対し、近年、急速に支持を伸ばしてきている。

【日　本】

日本でも草の根の人々の反乱が始まっている。それまで誰も聞いたことがなかった参政党という党が一気に10万人まで党員を増やし、22年7月の参議院選では全国で１７６万票を獲得して日本では10番目の国政政党となった。神谷宗幣という参議院議員が誕生し、現在は１４０人の地方議員を擁するまでになっている。

また、23年秋には作家の百田尚樹氏によって日本保守党が創立され、話題を呼んだ。

2023年11月、欧州と南米で誕生した2人の〝トランプ〟とは

【オランダ】

23年11月、オランダでは、総選挙で極右政党のヘルト・ウィルダースが予想外に大勝した。彼は「オランダのトランプ」と呼ばれ、イスラム教徒の移民反対を掲げている。

ウィルダースは、イスラム教徒の移民とテロリズムを結び付ける発言を行い、モスクやイスラム教の聖典コーランを禁止するとも発言してきた。その挑発的な主張のため、04年以来、警察の厳重警護を受けている党首である。

【アルゼンチン】

アルゼンチンは100年近く左派リベラル政権が続く国だが、23年には143%というハイパーインフレに突入。国民の半数近くが貧困に喘ぎ、かつての南米の優等生の面影は全くなくなってしまった。

追い詰められた国民の支持を受けたのは、これも「アルゼンチンのトランプ」と呼ばれる〝極右〟のハビエル・ミレイだ。トランプ前大統領はミレイの勝利を歓迎し即座に祝電を送った。

ミレイは、徹底したリバタリアンで、極力小さな政府を標榜し、いくつもある国家の省庁の削減と中央銀行の廃止も行うと発言して物議を醸した。アルゼンチン国民は、これほど過激な発言の候補者を選んででも、変化を望んでいたわけだ。

2. アメリカにおける狂気のＬＧＢＴＱ運動

〝米国植民地総督〟エマニュエル駐日米国大使の実像

２０２２年1月に着任したエマニュエル駐日米国大使ほど、物議を醸している大使もいないだろう。彼については拙書『アメリカの崩壊』で詳しく書いているが、オバマ氏が大統領選に臨んだときの資金集めを担当し、オバマ勝利に貢献したことから大統領首席補佐官となった。もともとはシカゴ議会議員で、オバマ政権に1年いただけでシカゴ市長についた。シカゴの議員時代、同僚の民主党議員に死んだ魚を送りつけたというのは有名なエピソードだ。映画『ゴッドファーザー』を見た人ならその意味はわかるだろう。死んだ魚を送るというのは、「お前の仲間は今ごろ海底に沈んでいる」ということを示す暗喩である。

現在の駐日大使はこのような人物なのだ。

エマニュエル大使はＬＧＢＴＱなどの性的マイノリティの熱烈な支援者でもある。日本でも

ＬＧＢＴＱのデモに参加し、日本政府に対して強力に圧力をかけた。ただし、ＬＧＢＴＱ運動でジェンダーフリー（男女の性差の垣根を取り払っていくこと）は、むしろオバマ政権から続くバイデン政権と民主党の普遍的なアジェンダの１つだと考えたほうが自然だろう。

彼は、そのアジェンダのもと、この政策を日本の国会でも法案として成立させるために、岸田政権に圧力をかけ続けた。と同時にＧ７やＥＵ諸国の駐日大使にも働きかけ、「日本でＬＧＢＴ理解増進法を通すときは今だ」という主張をＳＮＳで堂々と発信した。これは日本に対する明らかな内政干渉だが、彼は〝米国植民地総督〟のつもりなのだろう。

エマニュエル駐日大使が働きかけ、ＬＧＢＴＱ理解増進法が、自民党部会で８割の反対があったにもかかわらず、23年６月に国会でほぼ何の議論もないまま（野党の修正案は入ったが）、短期間のうち法制化された。日本はいまだアメリカの〝植民地〟であることを多くの日本人に印象づけた一幕だったろう。だが、日本メディアはこのような事情もまるで報道しないため、大半の日本人にはこの構図さえわからないように仕組まれているのだ。

ただ最近では、同様にＬＧＢＴＱ運動において、アフリカ諸国や、同性愛には否定的な歴史を持つハンガリーのオルバン首相の反グローバリズムの政権などに対してさえ、このアメリカの新イデオロギーを強力に押し付けていることがわかっている。

母親たちはコロナ禍の学校閉鎖で教科書の中身を知り驚愕した

2022年7月23日、私はフロリダ州のタンパで開催されたTP USA（ターニングポイントUSA）という若者を中心とした保守系の大きなイベントに参加した。TP USAはCPAC（共和党の保守派を支援する保守政治行動会議）の若者バージョンである。2冊のベストセラーを持つ日本のジャーナリストとしてプレスパスを受け取り招待を受けたのである。このイベントでは、トランプ前大統領や、すでに大統領候補として噂のあったフロリダ州知事デサンティスのほか、数十人の上院議員・下院議員などがメインスピーカーとして登壇し、若者中心の約5000人の人々を前に演説を行った。

会場には多くのブースがあり、とりわけ私の目を引いたのが、母親たちが中心となって子供たちへの過激なLGBTQ教育に反対の声を上げ続けている団体のブースだ。

そのブースを訪れると、小学校で実際に使われている性教育の教科書が置かれていた。私は、教科書の中身を見て愕然とした。男女の性行為のイラストだけでなく、男性同士の性行為のイラストレーションまで載っていたからだ。

しかも、このような教科書は小学校でも、すでに小学2年生から使われているのである。アメリカもついにここまで至ったのかと嘆息せざるを得なかった。

また、23年3月の初めには私はワシントンＤＣで行われたＣＰＡＣに参加した。ＣＰＡＣにも母親たちが子供たちを守るために立ち上がった2つの全国的な団体が来ていた。Moms for Liberty と Moms for America である。いずれもほぼ全米50州にチャプター（支部）を置いており、８０００カ所に支部を置いている団体という。

私は、Moms for America のディレクターであるアリー・レッグさんにインタビューすることができた。

彼女によれば、コロナ禍の前までは実際にアメリカの学校の教室で何がどのように教育されているのか、母親たちはほとんど知らなかった。ところが、20年からのコロナ禍によって、ニューヨークやカリフォルニアなどのブルーステート（民主党州）と呼ばれる地域では大部分の学校が全面的に長期間閉鎖された。

そうなったのは全米教職員組合（日本では日教組にあたる）が原因の1つだ。ここは左派の組合で、民主党とズブズブの関係にある。私は何度か同委員会の会長のスピーチを聞いたことがあるが、非常に過激なアジテーションに長けている人物だという印象を受けた。

同委員会は「教職員は、新型コロナに子供たちよりもはるかに感染しやすく重症化する確率も高い」と力説していた。だから教師たちは感染するリスクを恐れて、とにかく徹底して学校閉鎖を主張したのである。そのため子供たちは自宅でパソコンを通してリモート授業を受ける羽目になった。

アリーさんは、「自宅で子供たちが勉強することで、母親たちは初めて子供の教科書で、どれほど過激なLGBTQ性教育を受けているかを知ることになったのです。また、教育委員会は連邦政府からの命令を受けて、特に民主党州であるブルーステイトでは過激な偏向教育が行われている」と語った。

彼女たちは対抗策として投票によって選ばれる教育委員会のボードメンバーに立候補し、学校内の偏向教育の是正のために行動している。母親たちは、これらの活動を全米単位で起こし、子供たちのために命をかけて闘っているのである。

話は少しそれるが、子供への新型コロナの感染については、世界で公表されていたデータによって、よほどの超肥満児などの基礎疾患を持つ子供でない限り感染しても重症化しないことがすでに明らかになっていた。子供では新型コロナのリスクは小さい。

だから、ブルーステートで長期的な学校閉鎖に入ったのとほぼ同じ時期に、共和党州のフロリダでは当時トランプ政権の医療アドバイザーを務めていたスコット・アトラス博士の指導のもと、子供の重症化、死亡率は著しく低いという世界各地の調査結果を早くから得ていた。

そのため、「学校閉鎖の必要は全くない」というアトラス博士の進言を取り入れたフロリダ州では学校を閉鎖しなかったにもかかわらず、新型コロナへの感染による子供たちの死亡はもちろん、重症者もほとんど出なかったのである。

批判的人種理論（CRT）は、白人に対する深刻な逆差別

学校閉鎖によって、母親たちはもう1つの重大な問題を知った。子供たちに対して小学校で「批判的人種理論（クリティカル・レース・セオリー、CRT）」という非常に過激な、新たな人種差別教育とも言える教育が行われていたことである。

アメリカの教育省はすでに左派系のイデオロギーによって支配されていることは前述した。そこにさらに輪をかけて過激な左派の教職員組合も加わって作成した学校のカリキュラムに基づいて子供たちを教育している。

批判的人種理論もしっかりとカリキュラムに組み入れられているのである。この理論は、黒人は生まれながらに被害者であり、白人はアフリカから多くの黒人を奴隷として連れてきた過去があることから、白人イコール加害者であるというものだ。それを小学2年から子供たちに教えている。

詳しくは第3章で触れるが、黒人や白人の人種を超えて、アリーさんのような黒人の母親たちまで立ち上がっている。彼女たちは、黒人も白人も含め全ての人種を絶対に差別してはならないとして、子供たちを守るために批判的人種理論とも闘っているのである。

スカートをはいた男子生徒による女子高生レイプ事件で立ち上がった「ママベア」

2021年5月、バージニア州ラウドン郡の高校でスカートをはいた男子生徒がトイレで女子高生をレイプするという事件が発生した。にもかかわらず、学校側と教育委員会はその事実を認めなかったため、親たちは激しく反発した。今まで日本と同様に教育を学校に任せっ放しにしていた親たちは、このときは学校教育がどのように行われているかについて意見を言う権利があると主張した。

そんな親たちの姿勢に恐怖を覚えた高校側と教育委員会は、バイデン政権の教育省に親たちを逮捕してくれと要望したのである。ホワイトハウスはろくな調査もせず、親たちを「ドメスティック・テロリスト（国内テロリスト）」と呼び、司法省にFBIを差し向けるように指令を出したのだった。バイデン政権は、子供を守るために立ち上がった親たちに国内テロリストという過激な言葉でレッテル貼りをした。

対して母親たちは自らを、危険が迫った子熊を守る母親熊になぞらえ自らを〝ママベア〟と呼び始めた。自分の子供は母親自身が命がけで守るという意思表示である。これは全米で報道されて大きな話題となったのである。

私はアリーさんへのインタビュー動画をユーチューブで公開したのだが、それを見た日本の多くの母親たちから、「自分たちもママベアに倣い、日本でも急速に拡大している子供の不登校などに対しても学校や教育委員会にだけ任せておけない」という母親たちが立ち上がり始めたのである。23年にいくつもの日本の地方を回る中で、全国でそのような母親たちが増えていると感じたことを明記しておきたい。

トランスジェンダー推進は女性への新差別を生むだけ

日本には同性愛者を差別してきた歴史はない。日本をよく知るアメリカ人の友人たちも「日本には歴史的にも現在も同性愛者を差別してはいない」と断言している。

戦国大名の多くがお稚児さんを抱えたり、戦前・戦中も「男装の麗人（川島芳子）」が活躍したりした。彼女は「東洋のマタハリ」とも呼ばれ、日本軍の工作員として諜報活動を行い、中華民国によって逮捕されたのだった。

戦後は美輪明宏さんやピーター（池畑慎之介）さん、マツコ・デラックスさんなどがテレビ界でも「オネエ」キャラのタレントとして活躍してきている。差別されるどころか、人気があって高給も取っている。

私もレズビアンやゲイなどの同性愛者を差別する気は毛頭ないし、大半の日本人も同様だろう。けれども、アメリカのＬＧＢＴＱの現実はここまで過激に走っている。

長くアメリカでこれまでのＬＧＢＴＱの動きを実際に見てきた者として、そのアメリカの実例をここで紹介しておきたい。

【高校女子更衣室に中年男が侵入】

オバマ政権時代、私の長女が通っている高校で女子更衣室に突然中年男が入ってきて居座るという事件が起きた。この中年男は「私は男の格好をしているが心は女性である」と言った。当然ながら高校の女子生徒、教師、母親たちは怒って学校側に抗議した。だが、当時のオバマ政権は、生まれた性別がなんであれ、本人が主張する性（性自認）がその人の性である、という見解を示したのだ。

【女子トイレを使用したい男子高校生】

私が住むシカゴ郊外近くのパラタインという地区の高校では、ある男子高校生が「自分は女性なので、女子トイレを使用したい」と主張し、高校側がそれを拒否したため、この生徒は学校を提訴した。3年後、裁判所は高校側に対して「生徒に15万ドル（約2000万円）の賠償金を支払え」という判決を出したのだった。

【元男性の女子水泳選手】

2022年、ペンシルベニア大学の男子水泳選手リア・トーマスが「自分は女性なので女子競泳大会に出たい」と訴えて全米で大きな話題となった。これについては、「女性ホルモンを注射することにより、あるレベル以下の男性ホルモン値になった段階で女子競泳種目に出場できる」というのがアメリカ水泳連盟の見解だった。

その見解に従ったトーマス選手は、元男性のトランスジェンダー水泳選手として女子競泳種目に出場できることになり、実際に全米大学選手権に出場し優勝したのである。

しかし問題は、トーマス選手と一緒に泳いだ女子選手たちにもその親たちにも、元男性のトーマス選手が出場し優勝したことに対して一切の反論が許されなかったことだ。なぜならば、反論したらLGBTQ活動家たちが「LGBTQ差別主義者である」という猛烈な非難・攻撃をマスコミを使って展開するから、それを恐れたコーチ、選手、親たちは反論することを封印したのだ。

こうしたことは全米の至る所で発生している。ＬＧＢＴＱに関しても、ブラック・ライブス・マター（ＢＬＭ）運動と同じく、一切批判ができないという言論封殺が起きている。

しかし、しばらくして競泳種目の決勝でリア・トーマスと競った女子水泳選手ライリー・ゲインズさんは、次のような勇気ある抗議の声を上げたのだった。

「この男性を私たちと同じ表彰台に立たせ、私たち女子選手からタイトルと奨学金と受賞の機会を奪い、その間、私たちに『笑顔でいてください』と頼むことは、私たちに嘘をつけと言っているのと同じことです」

私は、23年12月のＴＰＵＳＡのアムフェストでこのライリーさんの生のスピーチを聞く機会を得た。

「私は人生の18年を自分のスポーツの水泳に打ち込み、最高のパフォーマンスを達成することに捧げてきました。最初、私はリア・トーマスという名前の水泳選手を初めて知ったときに、男性だと気づきませんでした。この人は私が４年生のときにどこからともなく現れました。私たちは、後ほどこの選手が平凡な男子水泳選手であり、前年の全国男子水泳選手権で462位だったことを知ったのです」

「最大の問題は、LGBTQの選手の権利を守るとの理由で、このような女子スポーツの根幹を崩すことを政府の最高府であるホワイトハウスが行っていることです。我々は闘わなくてはなりません。ホワイトハウスではなく、我々自身のハウス（家庭）で子供たちを正しく教育することを続けるしかないのです」

「主要メディアがこの過激なジェンダーの主張を行っていることが最大の問題です。これらの左派メディアはまず『言葉の意味を変えること』を行っていきます。言葉が大事なのです。例えば〝トランスジェンダー女性〟という言い方です。これは生物学的に男性の人間をホルモンを下げたり、性転換手術をしたということで〝女性〟という言い方をメディアは強制しているのです。これらにもはっきりとノーという強い姿勢が大事です」

このライリー・ゲインズさんのユーモアを交えながらの力強いスピーチに、参加者たちはスタンディング・オベーションを送ったのだった。

ＬＧＢＴＱ活動に抗議する人々を暴力で脅すアンティファとは

右記のように、今のアメリカでは、「元男性が女子競技会に参加すること」に反論を述べることで、ＬＧＢＴＱ活動に反対というレッテルを貼られ、「差別主義者である」と非難されるポリコレ（言葉狩り）が起きている。米国憲法修正第1条にある「言論の自由」が著しく弾圧されている現状がある。

ＬＧＢＴＱの現状に反対する人々への暴力事件も起きている。

【ＬＧＢＴＱ条例が通った大都会の現状に反対する人々への暴力事件】

私もロサンゼルスに出張するときにいつも利用していた大きなスパがある。このスパで全米規模で報道された大事件が起きた。

２０２１年6月21日、ロサンゼルスにある最も大きなスパ（浴場）の女性専用エリアに、「自分は女性である」と言う体の大きな男性が入ってきた。ここは、小さな女の子を連れた家族も訪れるスパだ。

男性が素っ裸になったため、母親たちは怒ってスパ側に「あの人は男だ。女じゃない」と強く抗議した。これに対しスパ側は、「本人が女性だと言えば女性であるという性自認を受け入れなければならないロスの条例があるため、我々は何もできないのです」との答えだった。

それでは納得できないという母親たちに加勢して、今度は若い男性たちがスパの前でスパ側に抗議活動を行った。すると突然、そこにＬＧＢＴＱ活動家たちが現れて、若い男性たちに暴力を伴う攻撃を仕掛けたのだ。その中には黒ゴーグル・黒ヘルメット・黒戦闘服姿の明らかにアンティファ（20年夏にブラック・ライブス・マターと一緒に全米で暴動を起こした過激組織）とわかる者たちもいた。

このようにアメリカではＬＧＢＴＱ活動に抗議の声を上げる人々を暴力で脅すというところまできている。

【「娘がマミーと呼んでくれない」と嘆く、トランス女性になった父親の異常】

もう1つ、娘に「マミー」と呼ばれたい「女性となった父親」の話を紹介する。

私の妻は子供を持つ親たちと定期的にお茶を飲んだりする仲良しグループに参加している。

その中である日、クリスという名前の父親が「実は自分は中身は女性だと気づいたので、これからはクリスではなく、クリスティンという女性名で呼んでほしい」と皆に頼んだのだ。

集まっていた人たちは、今はそうしたことは別に珍しくもないと思い、誰も非難することなく彼の意向を受け入れた。その後はクリスをクリスティンと呼んで、トランスジェンダーの女性として接するようになった。

クリスティンと呼ばれるようになった彼には当時、高校生の娘が2人いた。娘たちにも自分をマミーと呼んでほしいと思っているので、「娘たちは1度もマミーと呼んでくれない」と他の親たちに愚痴をこぼしていたのである。

また、2人の娘たちの母親のつもりでいる彼は、「母の日に2人の娘はカーネーションをプレゼントしてくれなかった」とグループの前で愚痴を言った。

そんな彼の発言を聞いた1人の母親が次のように言ったのである。

「クリスティン、あなたは2人のお嬢さんの気持ちを考えたことがありますか。お嬢さんたちが、今までダディと呼んでいた人を突然、マミーと呼べるようになると思いますか。年頃のお嬢さんたちは非常に混乱して悩んでいるはずです。それに自分をマミーと呼んでほしいと思うあなたには、自分のお腹を痛めて出産した本当の母親の気持ちなどけっしてわかりませんよ」

と厳しくみんなの前で指摘したのである。

この意見に私の妻も全く同感だった。いずれにせよ、アメリカのＬＧＢＴＱの現状はここまで嘆かわしいところまできているのだ。

日本ではそういうことにはならないと多くの日本人は考えているかもしれない。しかし、何の議論もなくＬＧＢＴ法案が成立したことから見ても、日本は着実にアメリカの後を追っていると言えるだろう。

ＬＧＢＴＱ運動の背後にいるグローバリスト

グローバリストは前述してきたように、各国の歴史、文化、伝統を否定し、その根幹となる「家族」という形を破壊しようと画策している。その運動の表れがＬＧＢＴＱ運動である。ＬＧＢＴＱ運動がターゲットにしているのは「家族」そのものであり、それは男女が結婚して子供をもうけるという今までの当たり前の形を壊してしまう概念である。

２０２３年12月には、ローマ教皇が「同性のカップルを祝福することができる」という見解を示した。カトリック教会で結婚は男女間のみで認められるものであったが、これを機に同性愛者の「事実婚」を容認することになるだろう。

数年前に麗澤大学助教授のジェイソン・モーガン先生と対談したときに「ローマ教皇の宗教はグローバリズムである」と発言され驚いたが、その後この教皇の、中国政府とのカトリック教徒の折り合いの付け方を見て、この教皇がもやはや伝統的なカトリックの宗教規範を大きく逸脱している指導者だということがわかり、今回のこの発表も個人的には驚いていない。

こうして世界は大きくＬＧＢＴＱ運動に支配されている。

そもそもこのような「運動」が大きくなり始めたのは、１９６０年代の公民権運動に端を発している。公民権運動とは、アメリカの黒人や女性の地位向上を要求する運動で全国に広がっていったが、同時期にベトナム反戦運動とも合流し、この時期から何かあればすぐに「反対運動」を巻き起こすようになっていった。こうして、「差別反対」を御旗に掲げる「差別反対運動」になる土壌が生まれていったのである。

ＬＧＢＴＱ運動にマルクス主義者が深く入り込んだ現実

差別反対運動や反戦運動には、共産主義者・マルクス主義者が深く入り込んで影響を及ぼしてきたことがわかっている。共産主義者として１９６０年代からこれらの活動に入っていき、その後転向したユダヤ系英国人ディビッド・ホロウィッツがその内幕を暴露している。

この流れから来ているのがＬＧＢＴＱ運動やブラック・ライブス・マター（ＢＬＭ）運動なのである。

「黒人差別反対運動」という、誰も異論を唱えることのない主張を錦の御旗として立ち上がったＢＬＭ運動は、４人の女性が立ち上げた「Balck Lives Matter Global Network」という組織の名称である。この４人の女性のうち３人はマルクス主義のトレーニングを受けたと、本人たちも認めている、

この流れの中にＬＧＢＴＱ運動があるのだ。

アメリカでは、「ジェンダー差別をなくし、多様性を認める」という正義を振りかざして、性的少数者の意見を必要以上に尊重しそれに対する批判や否定的な意見を全て抹殺していく、いわゆる「ポリティカル・コレクトネス」という〝言葉狩り〟が横行している。

ＬＧＢＴＱもＢＬＭも「被差別者を救う」という名目で、共産主義者やマルクス主義者がその勢力を伸ばすための運動として悪用されている現実がある。

3. 社会で進むポリコレの言論弾圧

ラマスワミ大統領候補が語る〝新宗教〟Wokeカルチャー

現在、共和党の予備選で、ラマスワミ大統領候補は「現在、アメリカと世界ではグローバリストにより作り出された新〝宗教〟とカルトが席巻している」と語っている。

2024年1月から本格的に始まっている共和党予備選の中で、2位のデサンティスと3位のニッキー・ヘイリーの後に、しっかりと存在感を見せつけているのが、まだ38歳と若いインド系億万長者の起業家であるヴィヴェック・ラマスワミだ。彼はトランプへの支援を明確にしている唯一の大統領候補者で、若い世代を中心に人気を集めている。

彼は、このアメリカに蔓延しているのは「新しい宗教だ。カルトといってもいい。アメリカ政府は、既存のキリスト教や、ユダヤ教、ヒンズー教などを押し付けることはしない。だが、新しい〝宗教〟であるWoke（ウォーク。グローバリストの柱になるコンセプト）をベースにした新宗教に〝改宗〟させようとしている。それは、国民の多数派の意見ではない、少数派のグローバルエリートたちによってマスコミをフルに使い巻き起こされている新宗教だ」と言っている。

また、彼は、

「新たなカルトとは、世界の多数派でない、少数派エリート層が推し進める主張だったが、すでに各国で新たな〝宗教〟となった。Ｗｏｋｅの原義は、黒人差別、男女差別、ＬＧＢＴＱなどへの差別反対を掲げ、〝社会正義〟（social justice）を重んじるところから始まった。だが、彼ら少数派エリートは超国家のグローバリスト組織と各国政府、マスコミを操り、一般の大衆に彼らの新しい〝宗教〟でありカルトを推し進めている。Ｗｏｋｅイズム、トランスジェンダーイズム、脱炭素イズム、コロナ・イズムなどがある。これらは、〝地球温暖化〟への唯一の解決策が〝脱炭素〟であるという〝脱炭素教〟、コロナ医療対策にはワクチンが唯一の対策だとする〝コロナ教〟だ。これらのＷｏｋｅカルチャーを推進する人々は、〝多様性〟を唱うが、彼らの言う〝多様性〟に反対する者を認めない〝非多様的〟で非寛容である倒錯した主張だ」

「例えば、脱酸素化を金科玉条のごとく敬う〝環境保護〟という名の〝宗教〟を、アメリカ政府は我々国民に押し付けている。それに反対の主張をする者のＳＮＳアカウントは凍結され、社会的には陰謀論者とレッテルを貼られ、発言の場を奪われる。新型コロナのワクチンに関してもそうだ。グローバリストと政府、そしてマスメディアが合体して、それに反対するいかなる意見も封殺する。既存の宗教よりはるかに恐ろしいこの〝新宗教〟をグローバリスト政府は我々に押し付け、米国憲法で保障された我々の自由を奪っているのだ」

とも語っている。

ラマスワミは、現在7％くらいの予備選支持率なので、どこかの時点で降りることになるが、そのユニークなポジションを十二分に活用し、いずれトランプ陣営の一翼を担うと見られている。気が早い人たちは彼を副大統領候補に押す人たちも出始めている。

日本は3つの洗脳からの脱却が必要

世界で巻き起きているグローバリズムによる一極支配の構造を述べてきた。だが、日本において重要なのは、ラムスワミ候補が主張する、すでに宗教やカルトとも言うべきレベルにきている地球温暖化という対策の名目による〝脱炭素化〟、すでにその大半がプロパガンダだと正体を表したＷＨＯによるｍＲＮＡコロナワクチンの強制接種、それらに少しでも反対の声を上げた科学者や一般人のＳＮＳアカウントの停止や凍結する言論の自由への侵害についてである。

日本に限って言えば、世界よりはるかに政府やマスコミの言うことをそのまま信じてしまう傾向がある。コントロールする側からすると極めて安易な羊のような国民になってしまったのだ。世界で一番コロナワクチンを打ちまくった事実だけでもわかる。

私は、この状態から日本人が3つの〝脱却〟をする必要があると考えている。

①アメリカはいつも正しいという〝洗脳〟からの脱却

②日本人の大好きな国連や〝国際機関〟は正義の味方だという〝洗脳〟からの脱却

③TVや新聞など一般主要メディアの報道は正しいという〝洗脳〟からの脱却

この3つは、戦後長く日本人を縛ってきてすでに〝洗脳〟といって良いレベルにあるだろう。日本人の美点は一致団結で、チームスポーツなどでは長所として発揮される。過去の戦争でも圧倒的な団結力もあり勝利を重ねてきた。だが、裏を返せばそれは付和雷同、愚かなリーダーのもとでも、ただただ従ってしまう羊のような従順性となる弱点になる。

本書では、これら3つの日本人を洗脳してきた巨大な力を持つ存在に対して世界各地で普通の人々がノーを突きつけ始めた現実も描いている。

BAN（投稿削除）やSNSのアカウント閉鎖の嵐

現在、アメリカでは、例えば2020年の大統領選で不正があったと発言するだけで、フェイスブックやユーチューブでは真実に基づかない投稿としてＢＡＮ（投稿の削除）やＳＮＳ上のアカウント閉鎖などが起きている。

アメリカの主要メディアは、同年の大統領選で不正があったという声を上げた３０００人の人々がいくつもの都市で開かれた公聴会で証言をしているにもかかわらず、それをベースレス（根拠なき）な陰謀論であるとして報道することを当初から徹底して拒否してきた。

20年から起きた新型コロナの発生場所が中国の武漢研究所であると疑われた際にも、安全性の治験がほぼない状況下で特別緊急措置として認可が降りたファイザーなどのワクチンに対して疑義の声を上げた世界中の科学者の知見は陰謀論だと片付けられた。欧米の主要医療界、ＣＤＣ（米国疾病予防管理センター）などの主張に反する言動は全てＳＮＳ上から削除され、アカウント閉鎖された。

そうした中、大統領だったトランプは早い時点で「この新型コロナは武漢ウイルス研究所から漏れたものだ」と断定し、即刻中国や欧州からの往来を止めた。

その後、22年後半から23年にかけて新型コロナの発生地が海鮮動物市場などではなく武漢研究所であることが判明した。また、危険なウイルス機能強化の研究は法的にアメリカでは不可能なため、国立アレルギー・感染症研究所（ＮＩＡＩＤ）所長のファウチ博士が、武漢ウイルス研究所に多額の研究費を渡して実験を依頼していたとアメリカ連邦議会で明らかにされたのだった。

この経緯については拙書『アメリカの崩壊』で詳しく述べている。結局、フタを開けてみれば、トランプが早くから指摘していたことが正しかった。ファウチ博士が武漢ウイルス研究所に研究依頼をしていた証拠のメールも発覚したし、彼が議会で何度も偽証していたことも判明してきたのである。

「メディアが選挙を〝盗んだ〟のだ」と、メディア研究の大家が発言

私は2023年3月にワシントンDCで行われたCPACに参加し、複数の政治家やジャーナリスト、一般の参加者にインタビューした。

その中で特に印象的だったのが、20年の大統領選挙の不正の疑いに対して、長くメディア研究で著名なメディア・リサーチ・センター所長ブレント・ボーゼル氏の「多くの人々は、この理由で選挙が盗まれた、あの理由で選挙が盗まれたと言うが、そうではない。〝メディア〟が選挙を盗んだのだ」という発言だった。主要メディアが実際に起きたことを故意に〝報道せず〟、逆に陰謀論だとかベースレス（根拠がない）というレッテル貼りをして、〝不正はなかった〟と調査もせずに報道したことが、選挙不正の本質であると、ボーゼル氏は語ったのである。

SNS〝検閲産業複合体〟を使った真実の隠蔽と情報統制

アメリカ大統領選不正選挙、新型コロナ問題、露ウクライナ戦争、ハマス・イスラエル紛争……。世界では様々な問題が起こっている。我々はどこから正しい情報を得ればいいのだろうか。

アメリカの大手メディアは、バイデンの息子ハンター・バイデンの数々の疑惑をはじめ、民主党に都合の悪いことは報道せず、トランプの起訴やトランプの娘イヴァンカ・トランプの疑惑などはセンセーショナルに報道する。日本のマスコミはそれを翻訳するだけという有様だ。

アメリカのジャーナリスト、マイケル・シェレンバーガー氏は、バイデン政権がビッグテック、ファクトチェック団体、NGO、大学、シンクタンク、財団などを巻き込んだ連合体の「検閲産業複合体」を組織して、ジョージ・オーウェルの小説『1984』さながらに情報統制を行っていると証言した。つまり、検閲産業複合体はリベラル思想を掲げて保守派の言論の自由を奪っている。このことはアメリカ議会でも取り上げられている。

2016年の大統領選でトランプが勝利した後、「ロシアが大統領選に干渉し、トランプ陣営がそれに関与した」とされる、いわゆる「ロシアゲート」が大々的に報道された。

民主党は、ロシアの工作員がツイッター（現 X）やフェイスブックで情報を拡散し選挙に重大な影響を与えた、という話をファクトチェック団体などを使って拡散していった。しかし、最終的には「ロシアに関する重大な活動は確認できなかった」というツイッター社の調査結果が出ている。

また、これらの検閲産業複合体は、医師や大勢の人々が新型コロナに関して「武漢研究所から流出した」「ワクチンの副反応」などとSNSで発信した内容を、「ガイダンス違反」、「偽情報」、「陰謀論」などとする〝根拠なき〟コンテンツとして扱った。

20年のアメリカ大統領選前にトランプのツイッターアカウントが凍結されたことは記憶に新しい。これについてツイッター社を買収したイーロン・マスクは内部資料の分析を行い、ツイッター・ファイルと呼ばれる内部文書を公開した。そのうえでマスクは「ツイッター社は政府からの命令で言論の自由を抑圧した」と言っている。

こうしてバイデン政権と一見無関係な第三者に検閲や政府見解を代弁させることにより、メディアの報道を特定の方向に誘導したり、内容を検閲したりすることを可能にしたのが検閲産業複合体である。

しかもこの巨大な検閲産業複合体は、ＬＧＢＴＱや気候変動、戦争などの社会問題に対し、世界規模で情報操作を行っている。それに立ち向かうためには、草の根の人々が正しい情報を入手して立ち上がることが必要になってくる。

私も講演会、オンラインサロン、ネット番組などで様々な問題を取り上げて自分なりの真実を発信し続けている。何が真実かを見極めるためには、できるだけ多くの一次情報に触れることが重要だ。日本では23年、ユーチューブで長く真実のレポートを続けてきた及川幸久さんのアカウントが完全に閉鎖された。及川さんはフォロワー数が45万人を超えていた、影響力のある発言をしていたユーチューバーだった。真実を発信する彼のような人たちへのその発言手段を奪う暴挙。言論の自由の真逆の所行が起きているのだ。

一次情報の多くは英語で発信されているため、私も時事英語による解説動画を発信し、現実にメディアや政治家が使う時事英語を習得するセミナーも開始している。1人でも多くの人が真実に触れて自分で判断できるように、今後も自由で公正な発信をさらに拡大していきたい。

4．バイデン政権下のインフレで苦しむアメリカ人の生活

２０２３年クリスマス前に久しぶりに長期滞在の日本からシカゴに戻った。長く付き合いのある銀行に勤める友人が「以前は孫３人をマクドナルドに連れて行って20ドルで済んだが、今は40ドルかかる。我々はクレージーワールドに住んでいるよ」と言った。これが一般のミドルクラスのアメリカ人の気持ちだろう。

日本の経済紙や経済ニュースを見れば、アメリカの高インフレは収まりつつあり、株価も堅調で、アメリカ経済は悪くないという報道が多いようだ。だが、そこには経済指標に現れてこない一般のアメリカ人の姿は見えてこない。ここではいくつかの指標と共にその側面も示してみたい。

米国労働省の統計によると、前政権と比較した一家庭あたりの所得の上下動では、トランプ政権（オバマ政権との比較）は６４００ドル上昇し、バイデン政権（トランプ政権と比較）は４０００ドル減少している。これなども、日本のエコノミストたちの「アメリカ経済は堅調だ」という大手経済紙の孫引き発言からはまるで出てこない米経済の裏の数字だろう。

インフレ率は、トランプ時代の平均1・9％以下に比較して、バイデン時代は40年ぶりの高金利で7～8％に。30年物住宅ローンはトランプ時2・65％、バイデン時7％。若いカップルは高金利で、家を購入することが不可能なところに追い込まれている。

雇用の創出は、トランプ時代490万人に対して、バイデン時代210万人。

ガソリン価格は、トランプ時代1ガロンあたり1・87ドルに対して、バイデン時代4ドル前後である。

現在、アメリカ人の23％は貯蓄率ゼロ、3カ月以内の貯蓄しかない人が25％。つまり貯蓄が3カ月以下又はゼロの人たちが半分近くいるということだ。また、アメリカ人の60％がPaycheck to Paycheck（給料ギリギリ）の生活だと回答している。これは毎月30万の収入ならその全てを使わないと生活できない。つまり貯蓄に回す余裕がないという回答だ。これは年収10万ドル以上（約1500万円）の家庭でも同じように答える人の比率はさらに高い。

日本人は驚くだろうが別に驚くことはない。所得が高い人は高い住宅に住み、高い住宅ローンや家賃を払っており、ミドルクラス全般がこのバイデン政権下でどれくらい食費、光熱費、ガソリン代、ほぼ全ての必須生活コストの高インフレに追い詰められているか、その実態がよくわかる数字だろう。

また、2000万世帯で電気代の滞納が起きている。国民は今月の給料を食費に使うか、ガソリン代に使うか、そして電気代に使うかというところまで追い詰められているのだ。

一般のアメリカ人ワーキングクラス、ミドルクラスは、日本のマスコミが報道しているような悠長な世界にいるわけではないことがよくわかる。

しかし、日本でも同じことが起きているのではないか。23年年末、この1年で値上げした品目数は3万2395品目で1回あたりの値上げ率は平均15%とのことだ。アメリカの食品の値上げなどでは50%以上が多いのと比べるとまだましだが、着実に更なる値上げが目前に迫っている。

5. トランプ前大統領への〝根拠なき〟攻撃の数々

米3大TV局、トランプ起訴527分、バイデン収賄疑惑ゼロ分報道の現実

民主党と米主要メディアは、トランプ登場の2016年からトランプに一環してあらゆる個人攻撃を行ってきた。

なぜ日本に入ってくる情報はほぼ「一方的な反トランプ・親バイデン」のみの情報になるのか、なぜアメリカで起きている現実がそのまま伝わってこないのか、非常にわかりやすい統計が出てきた。

これは前述した、私が23年3月ワシントンDCでのCPACでインタビューを行った、米国メディアの分析会社の重鎮ブレント・ボーゼル氏の会社である、メディア・リサーチ・センターからの統計だ。

23年6月8日から7月18日まで、アメリカの各大手主要メディアがどのくらいの放映時間を

「トランプ起訴」と「バイデンの収賄疑惑」について、ABC、CBS、NBCが放映した時間（FOXニュースより）

どのニュースに割いたかの比較が出た。この時期に、トランプへの4件の訴訟が起きており、同時期にバイデンの副大統領時代の巨額の外国政府と外国企業からの収賄疑惑は共和党上下院委員会で毎日のように取り上げられていた。その2つの放映時間を比較したものだ。アメリカで老舗3大TVネットワークのABC、CBS、NBCがこの2つの話題にどのくらい時間を使い報道していたかを示している。

なんと、「トランプ起訴」には、527分使い報道し、同時期に進行していた「バイデンの収賄疑惑」には、0（ゼロ）分だ。

これがこのアメリカの腐りきった大手主要メディアの偏向報道の現実である。そして、そのアメリカの大手主要メディアの偏向報道をただコピー翻訳し、日本語に直して〝報道〟しているのが日本メディアだ。

日本人は、いつまでたってもアメリカや世界の真実から取り残されるわけである。

民主党指名〝裁判官〟と民主党指名〝検事〟で起きた4回のトランプ起訴

これまでの2冊の拙書でも述べたが、今、アメリカでは民主党政権による言論弾圧、司法による共和党保守派への弾圧、政治家や支持者に対する起訴・逮捕が頻繁に起きている。

前大統領のトランプの起訴・逮捕は、バイデン民主党の司法省によって2023年に4回行われた。また、バイデン司法省長官ガーランドによって任命されたジャック・スミスという特別検察官はトランプの言論を封殺するという暴挙に出て、明らかに憲法修正第1条の「言論の自由」に反する行動を取り始めたのだ。

以下のようにトランプは、23年9月の時点において91件の罪状で4回起訴・逮捕されている。

①2016年の大統領選への影響を懸念して不倫の口止め料を支払い、帳簿に虚偽記載(マンハッタン地区検察官・34件)

②機密書類の取扱に関するスパイ防止法違反(米司法省・40件)

③大統領選で敗北を認めず虚偽を主張し、結果を覆そうとした(米司法省・4件)

④南部ジョージア州の票の集計に介入した罪など（ジョージア州フルトン郡地区検察官・13件）

バイデンと民主党を支持するアメリカの主要メディアはこうした事態を「前代未聞の前大統領の逮捕・起訴である」と大騒ぎしていて、日本のマスコミは相も変わらずアメリカのメディアのコピー報道に終始している。

だが、日本では全く報道されることはないが、日本とアメリカの司法システムには大きな違いがあることを理解しておかなければならない。

日本人は通常、検察官と裁判官は政治とは関係のない中立、公正な立場にいると認識している。だが、アメリカでは検察官も裁判官もほぼ民主党か共和党によって指名を受ける。

まず連邦検察官の場合、時の政権や司法省長官によって、州検察官は州知事や州議会の多数党が指名をすることになっている（各州によって違う）。

その後一応選挙もあり、民意が反映されているという立て付けにはなっている。だが、この二十数年全米の大都市ニューヨーク、シカゴ、ロサンゼルスだけでなく中規模都市の地方検事の選挙に、ハンガリー生まれの反アメリカ極左億万長者ジョージ・ソロスが莫大なカネを出して、各大都市で民主党の中でも最も過激左派の弁護士を地方検事に送り込んできた経緯がある。

4回起きたトランプへの起訴・逮捕についても全て民主党司法省や民主党の強い州の政治的思惑によって検察官が動いている。このあたりの事情は日本のメディアでは全く報道されることがない。

だから一方、共和党トランプ側では、「この起訴・逮捕は現バイデン政権下の司法省による24年大統領選挙でリードしている最大のライバル候補に対する最大の政治的迫害であり、トランプ候補への選挙妨害であり、このことが前代未聞なのだ！」という見方となる。

もっとも、この4件の起訴・逮捕のいくつかは数十年前に起きたとされる案件で、いつでも起訴・逮捕できたはずなのに、なぜこれら4件の起訴が23年の年初から5カ月の間に集中して起きたのか。一見、不思議だが、実際の裁判の始まる日程が24年年初から数カ月にわたって行われることになるので、トランプ候補を選ぶか否かの共和党予備選の真っ最中にちょうど引っかかるように計画されていると見るべきだろう。日本のマスコミはそうした報道もまるでしない。

次にアメリカの各州裁判官の任命についても議会による任命となり、当然多数派を持つ民主党か共和党の議員たちにより選出される。

最高裁判事の指名については大統領が指名するが、任命には上院司法委員会での承認が必要となり、限りなく党派の影響を受けることになる。

例えばトランプは大統領在任期間に3人の保守系の最高裁判事を指名した。上院では共和党が多数派だったので、トランプが指名した3人の保守系判事は全員、上院によって承認を得た。それまで定員9人の最高裁判事のうち4人が保守、4人がリベラル、1人が中立という立場だった。これがトランプの指名により、保守6人対リベラル3人へと変わったのである。

通常、アメリカの最高裁判事は死亡もしくは引退したときにしか代わることがない。だから最高裁判事を1人も指名できなかった大統領も少なくないが、トランプは3人もの判事を指名した。これが彼の一番大きな功績だという保守系のアメリカ人もいる。

民主党がトランプへの投票を無効にするための最後の秘策、憲法修正第14条とは

アメリカには、合衆国憲法修正第14条3項という条文がある。これは、「憲法を支持する宣誓をした後に、合衆国に対する暴動や反乱に関与したり、合衆国の敵に援助や便宜を与えたりした者は、合衆国や州の官職に就くことができない。」というものだ。

コロラド州裁判所は、「トランプは暴動や反乱を主導した」と決めつけ、それによりトランプは公職につくことができないので、トランプ票を無効とするとの判決を下した。無論、同州の裁判官たちは全て民主党によって指名された裁判官たちである。

また、同州のこの裁判では、トランプ弁護団の抗弁や反対尋問さえ許されない中、一方的に

裁判官たちは判決を下した。すでにバナナ共和国でのカンガルー裁判所と言われている由縁だ。このアメリカでは民主主義の基本、法の下の公平が存在しないことがわかるだろう。バイデン民主党司法省によって指名されているこれら州の裁判官や地方検事たちは、トランプと保守派に対して司法を〝武器化〟し弾圧を行っている。共産主義、独裁政権で頻繁に行われてきたことを堂々と行っている。大きな人々の反発が起きないのは、主要メディアがまるでその事実を報道しないからだ。

現状では、この〝反民主主義〟のデッチ上げ裁判が最高裁まで行くと、トランプ勝訴は間違いないとも言われている。

加えて、法律専門家たちの見立てでは、ほぼ通常は立件されることのないケースでの起訴が起きていることに加えて、コロラド州を始めとする10州を超える州でも、トランプが1・6事件で暴動を煽り国家反逆罪に匹敵するとの主張で、それらの州で大統領予備選挙が行われた場合に、トランプへの投票のみ無効にするという、もはや民主主義国家の体さえなしていない暴挙の訴訟が行われ始めた。

この憲法修正第14条は南北戦争時代の国家反逆罪を犯した場合、その後の公民権、選挙に立候補を禁止するという150年以上前の古い条文だ。ただ、24年初頭から開始する共和党大統領選挙予備選になんとかダメージを与え歯止めをかけたいという民主党の足掻きを示している。

今回のコロラド州裁判所での判断は、トランプは暴動を主導し〝反逆を煽った〟国家転覆罪ともいえる重罪だとの判断を下した。だが、トランプ弁護団は即座に最高裁に上訴している。

ただ、この最高裁での判決で敗訴すれば、トランプは公民権停止となり、あらゆる公職への選挙への出馬が禁止される。それを狙って民主党はこの仕掛けを続けている。今のところは共和党内の予備選についての判断だ。だが、この議論には連邦最高裁の判決が最終的には必要となり、最高裁ではこのトランプへの投票を無効にするという判決は否決されると予想されている。

6. 大統領選に突如現れたロバート・ケネディ・ジュニア

ロバート・ケネディ・ジュニアは分断政治を変えることができるか

ジョン・F・ケネディという名前を知らない人はほとんどいないだろう。1961年に大統領に就任したジョン・F・ケネディは当時、アメリカの希望の星のような存在だった。それまで「絶対に大統領にはなれない」と言われていたアイルランド系カトリックから出た初めての大統領でもある。弟のロバート・ケネディは司法長官に就任したが、2人とも暗殺され悲劇の犠牲者となってしまった。

そのロバート・ケネディの息子がロバート・F・ケネディ・ジュニアで、ジョン・F・ケネディ大統領は彼の伯父にあたる。

90年代、環境活動家の弁護士だった彼は、除草剤による環境汚染で大手化学会社のモンサントなどの被害住民を代表し、幾度も勝訴した実績がある。

また２０２０年に入ってからは、新型コロナのワクチンへの厳しい批判も繰り広げた。

彼の矛先は、アメリカ医療の司令塔であるＮＩＨや米国疾病予防管理センター（ＣＤＣ）などに向かった。これら政府系医療機関が科学的安全性データが欠如したｍＲＮＡ新型コロナワクチンを即時に承認し、事前に副反応のデータを隠蔽していたことが判明したファイザー社とそれら政府の医療機関との癒着、大学の研究者への資金をコントロールしてきたファウチ博士ら米医療行政のトップの腐敗に対して、厳しい批判を展開してきた。

ケネディ・ジュニアは、ワクチンの危険性を強く訴えたことで、民主党と主要メディアから〝陰謀論者〟の権化のような扱いを受けてきたのである。その彼が23年４月に民主党から大統領選挙に出馬すると発表したので、多くの民主党員を驚かせた。

私は、彼の立候補を見て、現在の民主党にいては１００％通る可能性はないと幾度も私のＳＮＳで発信してきた。なぜなら民主党は、過去何度も民主党の大口献金者と党の最高幹部たちで決めた候補者を必ず最終候補者にするため、汚い手を使って同じ民主党の中のライバルを蹴落としてきた過去があるからだ。私自身、早い段階でケネディ・ジュニアは第三党からの出馬をすると予想していた。

彼は同年10月９日、フィラデルフィアで開かれた政治集会で「民主党ではなく独立系の無党派として次期大統領選に立候補する」と宣言し、「私が初めての独立系候補者として勝利する大統領になるだろう」という自信を見せた。

さらに、政治的に意見のことなる人々にも胸襟を開いた父や伯父と自分も同じ姿勢で「民主党と共和党の間に橋をかけられる候補」として大統領選に臨むというのだ。ただし過去に民主党か共和党以外の独立系の大統領が誕生した例はない。

彼の著書『真実のアンソニー・ファウチ（The Real Anthony Fauci）』は日本語訳では、『人類を裏切った男』（経営科学出版）として出版された。この本の中で彼は、世界の数多くの独立系研究者のワクチンによる弊害の報告（様々な副反応から重症化や死亡に至るデータ）を発表した。この本は大手マスコミから100％無視されたものの、あっという間にニューヨーク・タイムズでベストセラー入りした。

だが、名門ケネディ家の一員である彼も、民主党をはじめアメリカの主要メディアと主要医療界から「陰謀論者」というレッテルを貼られ、徹底して誹謗中傷されることになった。

現バイデン民主党の過激左派から民主党の価値を取り戻す

ロバート・F・ケネディ・ジュニアは民主党次期大統領候補として立候補を表明したのだが、

当初は民主党も米国メディアも泡沫候補と見て、ほとんど取り上げることはなかった。バイデンが現職の大統領であるため、民主党には有力な大統領候補はいなかったこともある。だが、2023年4月の民主党予備選の彼の支持率は20％まで一気に上昇した。

民主党内の支持率をバイデンに次ぐ2位とした彼は立候補にあたり、「父ロバート・F・ケネディと伯父ジョン・F・ケネディ時代の懐の深い中道民主主義の民主党は、今や過激な左派によりハイジャックされて大きく変質してしまった。私の使命は、かつて民主党自体が持っていた本来の存在意義と価値を取り戻すことだ」と主張した。

また、連邦議会の公聴会で「トランプをどう思うか」と質問されたとき、彼は「トランプが私に好感を持っていることを聞き、それを誇りに思う。なぜならば、今アメリカに必要なのは自分とことなる意見を持つ相手を誹謗中傷することではなく、一緒に話し合いをしようという姿勢だ。それが私の父や伯父がやってきたことだ」と答えた。

民主党系の討論大会では「露ウクライナ戦争についてどう思うか」という質問に対し、彼は「直ちに殺害（killing）をやめるべきだ。私はウクライナ国民に大きなシンパシーを感じている。この不必要で正当化できない残忍な戦争を進めたプーチンには無論同調できない。だが今必要なのは即時の戦闘の停止だ」と述べている。

ロシアが侵攻した直後の22年4月、プーチンとゼレンスキーは和解調停のテーブルに着き停戦寸前まで行っていた。

だが、そのときバイデンはイギリスのジョンソン元首相をゼレンスキーに送り、「NATOとアメリカが軍事支援するので和解調停をやめるように」との圧力をかけさせた。その結果、和解調停は破談に終わった。

この事実は当時ロシア議会によって発表され、そのときにプーチンも「ロシアの目的はバファーゾーン（緩衝地帯）であるウクライナの非NATO化と中立化であって、ウクライナの全領土への野心はない」と主張したのだった。このこともケネディ・ジュニアは明言している。

トランプとケネディ・ジュニアの類似点は多い

ロバート・F・ケネディ・ジュニアとトランプの主張は、いくつかの部分で驚くべきことに非常に似通っている。

日本ではあまり知られていないが、2016年、世界の米軍基地から米軍を撤退させることを公約の1つとして大統領戦を戦ったトランプは、大統領任期中の4年間、1度も戦争を起こしたり他国に武力で介入したりしたことがない大統領であった。その点でアメリカの大統領としては稀有な大統領だった。

ロバート・F・ケネディ・ジュニアとトランプは、露ウクライナ戦争について「即座に殺戮を止めるべきだ」と主張している。

トランプは「大統領選に勝利したら就任式前までに停戦を実現する」と公言しており、「真っ先にプーチン大統領とゼレンスキー大統領に調停を申し込んでそれを実現させる」と多くの集会で語っている。

ロバート・F・ケネディ・ジュニアは、自身とバイデンとの違いを聞かれたとき、「バイデンは内政をウォール街の国際金融資本家たちに、外交をネオコンの戦争屋たちに任せた。私はいずれもその反対をやる」と答えたのだった。

彼とトランプは反ウォール街エリート、反軍産・製薬会社の立場で一致しており、バイデン政権下で一気に窮地に陥っているミドルクラスとワーキングクラスへの支援を強調している。両者ともにそれらミドルクラスとワーキングクラスから大きな支持を受けている。

ついに民主党中枢から始まった〝バイデン降ろし〟の流れ

2024年の大統領選を前にした23年12月10~13日のFOXニュースの統計では、共和党内でのトランプの予備選支持率は69％でダントツだ。２位のデサンティスの12％をはるかに引き離している。このままいけば間違いなくトランプは共和党予備選の勝者となり、バイデンと対決することになるだろう。

その少し前、23年９月に民主党にとって衝撃的なニュースが出た。親バイデン民主党、反トランプ共和党の代表メディアのワシントン・ポスト紙に、民主党首脳とＣＩＡなど官僚ディープステートの代弁者と言われるコラムニストのデイヴィッド・イグナシウスによる「バイデンは大統領選に出るべきではない」というコラムが掲載されたのである。

時を同じくしてやはり親バイデン民主党のポリティコも、24年の大統領候補としてカリフォルニア州知事ギャビン・ニューサムの特集を始めた。

いずれも明らかに民主党内部と最大の支持母体のドーナー（資金提供者）たちからバイデン降ろしの流れが始まっていると見ていいだろう。

なお保守派の一部からは、トランプ大統領、ロバート・Ｆ・ケネディ・ジュニア副大統領というドリームコンビへの期待が出ている。有名な保守派言論人のスティーブ・バノンもこれについて「制止不可能（Unstoppable）なコンビだ」と発言している。これについては後述したい。

7. 次期大統領選でも企まれている民主党による不正

2020年大統領選で、民主党は新型コロナを最大限〝利用〟

23年から新型コロナの新たな変異株の感染者が増え始めているという情報が流れ始めた。これによってカリフォルニア州などでは、再度、学校におけるマスクの着用やワクチン接種の話が持ち上がってきた。

20年のコロナ禍で最も厳しい政策をとったのが、ニューヨーク州と並んで民主党州の代表格と言えるカリフォルニアである。同州知事ギャビン・ニューサムはもしバイデンが出馬しなければ民主党の大統領候補になると発表し、民主党に近い主要メディアのポリティコなどは彼のことをもてはやし始めた。

だが、なぜ大統領選が始まるちょうど1年前に新たな新型コロナやインフルエンザの感染率上昇という話題とともにワクチン接種の話が政府筋から流れ始めているのか。これは明らかに、

20年のコロナ禍を最大限に利用して、大統領選に勝利したことに味をしめた民主党がその再現を狙っていると見ていいだろう。

私は拙書『「アメリカ」の終わり』（方丈社、2021年）と『アメリカの崩壊』でも、民主党は前回の大統領選でコロナ禍を最大限に利用する明確な選挙戦略を採用して成功したと書いた。

コロナ禍利用の手口の一例はこうだ。政府とメディアが一斉に「コロナウイルスは怖い」と恐怖を煽れば人々は外出できなくなったし、ロックダウンをするとさらに屋外に出られなくなった。そこで民主党は、投票所まで行くのは大変だからと路上に数多くの郵便投票箱を設置し、この利用を人々に勧めたのである。しかし、それらの郵便投票箱は監視されていなかったので24時間誰でも投票することができた。

だが、監視カメラのいくつかには、ズダ袋に入っている数百通の郵便投票用紙を路上の郵便投票箱に投函している不審な男の姿が残されている。

路上に郵便投票箱を設置するための予算には、フェイスブックのオーナーであるザッカーバーグの寄付金5億ドル（約700億円）が充てられたことも判明している。

全米では郵便投票の有効期限を大幅に前倒しした地域や投票日以降の消印の郵便投票を承認した地域もあった。あるいは、事前に登録されているサイン（署名）と郵便投票用紙の署名との一致を確認する作業を省く地域もあった。しかもそんな地域の多くが、投票が有効かどうかの確認をする必要はないとする条例をつくってまで集計した投票結果を正しいことにしたのである。

前回の大統領選ではいくつもの選挙区で選挙登録人数を大幅に上回る郵便投票数が出たのだが、以上のようなことが行われたのならそれも頷ける話だ。民主党はコロナ禍という危機を最大限に利用したのである。

今のバイデン政権の民主党は、次の大統領選でも新たな変異ウイルスを利用して選挙に勝とうとするかもしれない。すなわち、新たな変異ウイルスのパンデミックへの対応だとして、あわよくば前回のようにロックダウンや学校閉鎖を行い、人々の社会生活を妨害すると同時に選挙民を恐怖に落とし入れて、やはり不正な郵便投票で得票を稼ぐということである。

スイングステートで行われた大統領選の投票の不正

2020年11月のトランプ対バイデンの大統領選のとき、世界中で開票の同時中継を見ていた多くの人が驚嘆したことがあった。深夜零時過ぎに郵便投票の開票が始まった途端に、なぜか6つの州でバイデン票が急増し、〝バイデン・ジャンプ〟が起きたのである。

もともと深夜零時を境に郵便投票の結果が判明する州が多かった。いわゆるスイングステート（民主党と共和党のどちらが勝つかが全米の選挙結果にも影響するとされる激戦州）と呼ばれる重要な選挙区がある。さらに、このスイング・ステートの投票結果を左右する都市にはペンシルベニア州フィラデルフィア、ミシガン州デトロイト、ウィスコンシン州ミルウォーキー、アリゾナ州フェニックス、ジョージア州アトランタ、ユタ州のソルトレイクシティなどがある。

これらの都市は民主党との関係が非常に強い都市が多い。例えばペンシルベニア州フィラデルフィア、ミシガン州デトロイトは昔から多くの工場があってユニオン（組合）が長い間、絶大な力を保持してきた。これらの都市では民主党とユニオンのズブズブのつながりの中でかなりの不正が行われていたというのが、長くこれらの投票地区をウォッチングしている人たちにとっては当たり前のことだった。それを裏付けるように、それらいくつかの都市の投票地区ではバイデンへの投票総数が有権者数を上回っていたところも出た。

郵便投票は不在者投票の一種だから、アメリカでは州によって選挙法も違うのだが、何らかの理由で当日投票に行けない有権者は、郵便によって投票するのが原則である。しかし前述した通り、20年大統領選では年初から起きたコロナ禍を民主党が最大限に利用した。

3000人もの人々がいくつもの公聴会で、そうした郵便投票での「不正の事実を確認した」と宣誓証言したのだが、主要メディアおよびほぼ全ての裁判所からその証言は「根拠はない（ベースレス）」だと無視されたのである。

アメリカで長く繰り返されてきた民主党の選挙操作

私はシカゴにあるイリノイ大学でジャーナリズムを専攻し、シカゴ郊外に長く住み、1980年からは4000名近いアメリカ人に空手を指導してきた。妻はアイルランド系アメリカ人なので、当然妻の親戚も皆、アイルランド系アメリカ人である。

アイルランド系アメリカ人は、ヨーロッパから最初にアメリカに移住したWASP（White Anglo - Saxon Protestant：ホワイト・アングロサクソン・プロテスタント）と違い、宗教がカトリックなところが大きく違う。最初のアメリカ移民であるイギリス系の移民たちはプロテスタントである。

アメリカはプロテスタントによって建国された国だ。つまり当初は、カトリックは少数派で歴史的には差別されることも多かった。そのため50年代ぐらいまでは、アイルランド系カトリックのアメリカ人は大統領になれないと言われていた。

しかし61年、アイルランド系カトリックとしては初めてジョン・F・ケネディが大統領に就任した。60年の大統領選では共和党のリチャード・ニクソンとの熾烈な戦いとなり、大票田のイリノイ州が大統領選の帰趨を決めると見られた。

当時、イリノイ州最大の街シカゴで23年間市長を務めていたのが、同じくアイルランド系カトリックのリチャード・J・デイリーという人物だ。デイリー市長はケネディの父親と親しい間柄であり、何としても初めてのアイルランド系カトリックの大統領を誕生させたいと二人の熱烈な思いは一致していた。デイリー市長は強力にジョン・F・ケネディをバックアップした。デイリー市長は今でもシカゴ市民の間では市長の中の市長として伝説の存在である。

当時も今もそうだが、大都市に数多くある組合（ユニオン）は全て民主党系なわけで、様々な業種、電力会社、ガス会社、水道局、警察署など多くのユニオンの組合員から熱狂的に支持されていたのがデイリー市長だった。もちろん、民間ユニオンの大ボスたちとも関係が極めて深かった。有名なエピソードは、共和党の議員が間違ってデイリー市長を厳しく批判したところ、その議員の自宅の電気・ガス・水道がその日から止まってしまったというものだ。

また、デイリー市長の強力な選挙チームの影響力を示すものとして「マシーン」という言葉がよく使われてきた。このマシーンは、現在の投票機械のことではなく、デイリー市長に忠誠を誓う選挙〝軍団〟のことだ。また、自分の親族や知人に市の公務員の仕事を優先的に斡旋するネポティズムが大きな影響力を持っていた。日本の地方都市でもそんなことはどこでもあるだろう。シカゴのような大都市になると末端まで入れると5万人を超える職場がある。

例えば、ゴミ回収の仕事は日本でもそうだが、そう高い給料ではなくやりたがる人が少ないかもしれないが、アメリカでは州や市によっても違うが約7万ドル（1000万円）を超えてくる。つまり、それらの安定的な公務員の職を斡旋できる力が大都市の民主党にはあるわけで、これは強力な民主党への集票マシーンを築いている大きな要素だ。

さらに、これによって集票組織がさらに強固になるという仕組みだ。デイリー市長も、ユニオンやその他の数多くの団体をマシーンとして動かしたため、選挙でも圧倒的な強さを長く誇ったのである。60年の大統領選でもこのマシーンが大いに機能して、ＪＦＫの勝利に重要な役割を担ったというわけだ。

いずれにしても、シカゴのような伝統のあるアメリカの大都市には、古くから大きな工場や様々な職種などが数多くあり、民主党はそこで働くユニオンのボスたちと強い関係を築いてきた。そして長年、選挙のときに投票所などの選管関係者や選挙の立会人を民主党の関係者でほぼ占めるということが続いてきた。

私の義理の従兄弟にも1970～80年代にかけて民主党の運動員をしていた人たちがいて、選挙運動の様子を聞いたことが何度もあった。

例えば、民主党の運動員たちは朝早くから何台もバスや大型の車を用意し、老人施設や介護施設を回って投票所に老人たちを誘導する活動を行う。無論、体の不自由な身障者や介護施設にいる方々への投票を助けるという大義名分と共にである。特に介添えが必要な老人とは一緒に投票所に行く。当時は今と違って投票用紙ではなくボタン操作で投票するシステムだった。青のボタンは民主党候補者、赤のボタンは共和党候補者といった具合だ。投票するその老人がどちらかのボタン押せば投票が終わる。ところが、介助が必要な老人やそれ以外の投票者に対して青のボタンを押すように〝手で介添え〟までして親切に〝ご指導する〟ことが当たり前に行われてきたのである。

こうしたことは不正などという言葉では甘っちょろいだろう。そんなことがアメリカの大都市の一部の投票地区では長く繰り返されていたわけだ。

トランプは「２０２０年の大統領選で不正があった」と主張した。これは多くの有権者から不正を見たとの批判の声が上がったことに基づく発言だ。しかし民主党の御用聞きとも言える主要なメディアは、「選挙の不正など、この民主主義社会のアメリカで起きるわけがない」と決めつけた。それどころか、逆に「不正選挙というベースレス（根拠なき）な陰謀論を唱えたトランプとその一派たち」というレッテルを貼り何度も貶め報道してきたのだ。

裁判所も不正選挙の訴えを1件も受け付けなかった。つまり、裁判所は「不正があったのかなかったのか」の是非について判定することを拒否したのだ。実際、トランプ側の訴えに対して裁判で白黒のついたケースは1件もない。

不正選挙を無視するようなアメリカのメディアや裁判所の態度に対し、国内外から「アメリカの民主主義は終わった」という声が数多く出ている。このこともアメリカでまともに報道されてはいない。

民主党は、コロナ禍を利用して全米の選挙区で合法、非合法な選挙法改正を多数行った。これも民主党が過去何十年もやってきた不正から考えると、当然のことだろう。

フリン元中将が「地方から中央を変える」

2016年、トランプが大統領になった後、大統領選に敗れたヒラリーの事務所や弁護団がイギリスのMI6の元スパイなども使って全く信憑性のないトランプのロシア疑惑のストーリーを創作した。

トランプがロシア政府と共謀しアメリカの国益を売り渡したというようなストーリーだったが、それに基づいて反トランプ・反共和党保守のニューヨークタイムズ、ワシントンポスト、

CNN、MSNBCなどのメディアが中心となって朝から晩まで「ロシア、ロシア、ロシア」とトランプのロシア疑惑を報道したのである。

これで真っ先に犠牲者となったのがトランプ政権の国家安全保障補佐官マイケル・フリン元陸軍中将だった。米軍のフリン元中将の名前を知っている日本人は少ないだろう。彼はトランプが大統領に就任する前からトランプ政権で国家安全保障補佐官に就任することが決まっていた。

ところが、就任の直前、彼がロシア大使とコンタクトを取ってアメリカの機密情報などをロシアに売っていたのではないか、というデッチ上げの疑いをかけられて逮捕・起訴されたのだった。裁判は3年半に及んだが、最終的にはトランプがフリン元中将に恩赦を与えて裁判は終結した。2020年大統領選挙にトランプ敗北が決定した後も彼は一貫してトランプ支持の活動を続けてきた。

この大統領選挙においては、開票で不正があったのではないかと共和党およびその支持者たちは強い疑念を抱き、トランプが勝っていたはずだと強く抗議した。だが、大統領選の結果は覆らなかった。

民主党は選挙の開票作業をするボランティアの8～9割に民主党党員や支持者を送り込んでいたのである。一方、共和党は従来、開票作業などのボランティアに共和党党員や支持者を行かせることには熱心ではなかった。

そこで大統領選以後、全米単位で共和党の党員や支持者たちは自分の住む地域の選挙管理委員会にボランティアとして手伝いに入って、選挙の開票作業などに携わるようになった。今やそのような草の根のボランティアによる共和党組織が全米単位で立ち上がっている。

熱心なクリスチャンとして知られているフリン元中将の考えも、それぞれの地方の小さな町で行われる選挙活動、あるいは不正選挙防止活動などを通じて、地方からアメリカ中央を変える、地方の選挙から大統領選挙や連邦議会議員選挙を変えていくというものだ。

当然、自らもボランティアとなって共和党の党員や支持者たちと協力し小さな市や町の選挙の仕事に関わる草の根の活動を行っている。

日本で私がよく聞かれる質問は、「もし20年のような民主党による不正選挙が24年もまかり通ることになるのであれば、いくら一生懸命にトランプたちが選挙活動を公正にやろうとしても、同様に選挙が盗まれるのではないのか」である。

それに対して私はいつもこう答えている。「民主党側から24年も間違いなく不正選挙が仕掛けられる。それは何十年もずっと長く続けてきたことで、今さら彼らが急に諦めることはない」。

しかし共和党側も、草の根の活動で簡単に不正は許さないという取り組みを全米の選挙区で行っている。それらを強力に体現しているのがフリン元中将のような人たちなのである。

〝選挙不正をもう許さない〟草の根民主主義を守ろうとする人たちの地道な活動

２０２３年も12月14日からアリゾナ州フェニックスで、学生や若者が中心となり結成されたＴＰ ＵＳＡというイベントに今年も招待を受けて、多くの登壇者や参加者をインタビューしてきた。１００カ所近くあった様々なブースの中で私の目を引いたのは、「不正選挙は許さない！」という大きな垂れ幕を掲げたブースだった。ここにいたコネチカット州から訪れていたリンダさんという女性に話を聞いたので紹介しようと思う。

私が「２０２４年の大統領選挙で、日本の人も世界の人々も、20年に起きた大規模な不正選挙が再度起きたらどうするのか。それを防ぐ手立てはあるのか、ということを大変心配しているのだが」と聞くと、彼女はこのように答えた。

「私たちは、20年に大規模に郵便投票を使って行われた不正選挙を二度とさせないために、投票者一人一人を監視する手法をとっています。85％の不正投票は投票日の前までに仕込まれます。20年、コロナ禍を理由にして民主党は大量に〝無差別に〟郵便投票用紙を誰の家にも送り込んでいました。その結果、何度も家を転居した有権者などのところに、４枚、５枚と同じ郵便投票用紙が送られ、本人が住んでいない住所から投票されていた投票用紙が大量に見つかっていたのです」。

このような転居した人の以前の家からの何者かによる投票を「ウェット・バロット（濡れた投票）」というらしい。

さらにリンダさんは、「それら大量の郵便投票用紙は、空き家になっている家にも送られていました。そして誰も住んでいないはずの家から大量の投票用紙が送り返されてきていたのです。これを『ゴースト・バロット（幽霊投票）』や『デッド・バロット（死人投票）』と言うんですよ」と続けた。このことについては、私も『アメリカの崩壊』の中で詳述しているので参照されたい。

リンダさんは、「何より大事なのは、我々一人一人が投票所に行って有効な投票をする、ということです。また、我々の各選挙区は小さな区から大きな区まであるけれど、近所の家で誰が引っ越してきて誰が引っ越して去ってしまったのか。空き家なのかどうなのかなど、近所の人たちが目を光らせて、そこに郵便投票がきてしまったときに誰の用紙なのかなどもお互いにコミュニケーションをとる必要があります。これはコミュニティの結束を強めることにもつながる、大事なことです」とも語っていた。

また、トランプ政権の主席戦略官で現在最も影響力を持つトランプの強力応援隊MAGAの推進者のスティーブ・バノンとその仲間たちで、全米規模で各投票所の立会人や選挙監視委員会に、共和党の党員たちを組織的に送り込むことを、20年の不正選挙以後着実に行っている。これはプリンシンクトという、それぞれの投票所単位でその地域でボランティアを行うことを指す。

投票所では、投票を管理、監視する人たちがいるのだが、特に大都会では今まで圧倒的に〝民主党の党員〟や支持者が多かった。そこには、大都会のそれら選挙区にはいくつも大きな組合（ユニオン）があり、彼らは人海戦術が可能なので、今までは圧倒的に民主党党員だけの立会人、選挙管理委員などが多かったという事情がある。大体85％、民主党党員がいる投票所などが珍しくなかった。

それをこの共和党プリンシンクト委員会は全米規模で、郵便投票の集票や数え方などにも監視の目をめぐらせるよう、詳細なマニュアルをつくって活動してきている。

ただ、私の意見を言えば、いくらこれらの不正選挙防止の動きをトランプ共和党側でやっても、必ず一定数の不正投票は行われるだろう。20年のような郵便投票が投票全体の6割、7割を占めたという選挙区がどのくらい出るのかも結果に大きな影響を与えることになると言えよう。

8．大統領選と密接に関係する米国下院議長の交代

投票15回で選んだ下院議長を解任した共和党保守強硬派「フリーダム・コーカス」

２０２２年11月に行われたアメリカ上院下院議会選挙は、いずれも僅差で上院は民主党が過半数を占め、下院は共和党が多数派を奪還した。これは共和党にとって画期的なことである。多数派を取った党が最も重要な司法・調査・財務・外交などの委員会の委員長職を獲得でき、各委員の選出も委任されるからである。

前にも触れたが、23年1月の時点では、それまで長く共和党の院内総務を務めていたカリフォルニア州選出のケビン・マッカーシーが共和党内で全ての票を獲得すれば、共和・民主両党による下院の議長選挙にスムーズに勝利できると考えられていた。ちなみにアメリカでは、現職大統領が何らかの事情で職務を遂行できなくなった場合、大統領の職務を代行する者の順位が決まっている。まず副大統領、次が下院議長である。

だが、マッカーシーのそれまでの言動を100%信じることはできないとして、特にトランプに近い保守強硬派、フリーダム・コーカスの総勢十数人から20人ぐらいが、この同じ共和党のマッカーシー候補に何度も反対票を投じたり、欠席したり、他の共和党議員の名前を挙げたりしたため、下院議長選挙は歴史上かつてなかったほど混乱した。

何度もこの投票が繰り返されるたびにマッカーシーはフリーダム・コーカスの議員たちとネゴシエーション（交渉）を重ね、最終的に15回目の投票によって何とか下院議長に選出されたのだった。つまり、15回も妥協しないとマッカーシー議員は下院議長になれなかったわけだ。逆に言うと、フリーダム・コーカスはそれだけ強い影響力を見せつけた。

このネゴシエーションの中身はバイデンの息子、ハンター・バイデンを収賄疑惑で証人喚問し、父親のバイデンが副大統領時代に職権を利用し巨額の収賄を行った罪で弾劾を発すること、またホワイトハウスの要求してくる巨額の予算へ拒否などいくつもあった。

ウクライナ、中国、ロシアなどでのバイデン一家への収賄疑惑の金額は2000万〜5000万ドル（30億〜70億円）に上り、ハンターが経営する会社への振り込みの銀行記録なども詳細に上院下院委員会で証拠が上がっている。

しかし強硬派下院議員のジム・ジョーダンが司法委員長に、ジェームズ・コマーが調査委員長に就き、バイデン父子の収賄疑惑について何人も証言者を召喚しておきながら、23年10月になっても、息子の議会への召喚、父親への弾劾動議は下院で進展することがなかった。

問題だったのは、バイデン政権が提出した巨額の連邦予算案の縮小を主張していた共和党保守派の意見は全く審議されずに、マッカーシー議長は民主党と厳しいネゴシエーションを続けることなく、民主党の連邦予算案に簡単に同意してしまったことである。

ただしこの予算案ではウクライナへの支援はカットされていた。だからその部分のみに一応、トランプを中心とする共和党保守派の意向が反映されたことになる。

とはいえ、この数カ月前から共和党保守派の不満、とりわけマッカーシー下院議長に対する不満がマグマのようにたまっていた。それがついに10月2日、トランプを支持する共和党保守派でフリーダム・コーカスのメンバーのマット・ゲイツ下院議員によってマッカーシー下院議長の解任動議が提出されたのである。

過去、下院議長解任動議は提出されたことはあるものの、アメリカの議会史上で可決されたことはない。

この解任動議は、共和党のフリーダム・コーカスの議員8人が民主党議員と一緒に賛成に回ったため、賛成216票、反対210票で通過してしまった。これまた連邦議会史上初めてのことだった。

早くもジョンソン下院議長への懸念が出始めている

共和党は僅差とはいえ多数派であるため、党内では次の下院議長の候補者選びが始まり、最初に名前が挙がったのが院内総務を務めたこともあるスティーブ・スカリースだった。だが、思いのほか賛成の声が上がらずに早々に出馬を取りやめた。

次の候補者として名前が上がったのは、本命視されていたジム・ジョーダン下院議員だ。彼はトランプを強力に支援するオハイオ州選出の保守派で、フリーダム・コーカスの創設メンバーでもある。バイデン父子の収賄疑惑を追い詰めていく司法委員会の委員長も務めていた。非常に弁が立ち実力もある弁護士出身の議員で、トランプも彼を支援すると発言していた。けれども必要な過半数の票を集めることができずにこちらも立候補を断念した。

その後、ほぼ無名の20人前後の議員たちも含めて一気に候補者が増えたため、下院議長選挙は混乱を極めた。そうした中、名前が上がってきたのが全く無名の下院議員のマイク・ジョンソンだ。これには共和党内部でもかなり驚いた人が多かった。アメリカの主要メディアでも、この議員の名前を知らなかった記者が多くいた。

彼はルイジアナ州選出の敬虔なクリスチャン（福音派）であり、弁護士としても優秀だった。

性格が非常に穏やかで、民主党の議員たちでさえ彼のことをあまり悪く言わないようだ。

ＣＮＮのメインキャスターの１人、ジェイク・タッパーは、ジョンソン議員が弁護士活動をしていた16～17年前にルイジアナで取材したことがある。そのときのことをこう語っている。

「中絶反対にもいろいろあるが、ジョンソンはレイプや近親相姦による妊娠でも絶対に認めないという超強硬派の中絶反対論者だった」

リベラル派にとっては、そのような人間を許すことはできないとなるのだが、タッパーが驚いたのは、ジョンソンが穏やかな口調で〝過激〟な発言をしていたことだった。タッパーは「彼は隣の家に住んでいる人のいいお父さんのような感じがする。だから誰でもコロッと参ってしまうんだ」とも述べている。

そんな彼が下院議長に就任することになり、最初のスピーチで「神の恵みの下に」「神への感謝」など神（ゴッド）という言葉を何回も使い、「皆で祈りを捧げましょう。私の役割は両党の間に橋をかけ、互いに理解し合うようにすることです」と述べたので、議場の議員たちのみならず、取材していた記者たちも驚いた。

ジョンソン下院議長が最初に通した法案はイスラエル支援の法案で、民主・共和両党の超党派の賛成で可決された。

ともあれ、トランプに非常に近いと言われている共和党の下院議長が誕生した意味は極めて大きい。ＭＡＧＡのような熱烈なトランプ支持者たちは「我々はＭＡＧＡの議長を獲得した」と大喜びしている。

一方、民主党はもちろん、ＣＮＮ、ＭＳＮＢＣをはじめとするリベラルな左派メディアもこの〝超保守派〟下院議長就任には大いに失望した。そのため、ジョンソンは非常に穏健な性格で人柄が良いと評判であるとはいえ、左派メディアは彼の主張は過激であり極右であるといったレッテルを貼って、民主党とともに攻撃し始めている。

しかしジョンソン議長は、ハンター・バイデンの委員会召喚、ジョー・バイデン大統領弾劾に対して急速に舵を切る可能性がある。そうなった場合、ガーランド司法長官を使ってトランプを4回も起訴・逮捕したバイデン側に対し、今度は逆にバイデン側が追い詰められていくことになる。

いずれにせよ、トランプに近いＭＡＧＡ支持の下院議長が誕生したことは、予想以上にバイデンを追い詰めていく動きが加速していくことになると見られる。

ジョンソン議長は、２０２３年末、バイデンが要求する６１４億ドル（約10兆円）のウクライナとイスラエル支援を含む合計予算１０６０億ドル（約15兆円）に対しては拒否権を発動している。メキシコ国境からの不法移民流入阻止なしに、これ以上のウクライナへの支援金は出さないという判断だ。だが、２０２４年初頭、早くもジョンソンが民主党と予算で妥協を始めたとの懸念が出始めている。

トランプに近い下院議長の誕生で大統領選への影響は？

２０２３年10月25日、前述のようにアメリカ議会下院でマイク・ジョンソン議員が下院議長に選ばれた。前議長のケビン・マッカーシーが解任されてから議長不在の混乱が３週間続いた末に、ようやく空席だった下院議長の就任が決まった。このマイク・ジョンソンが下院議長になり、11月の大統領選挙にも大きな影響を与える可能性が出てきた。

１つ目は、12月にバイデン大統領に対する「弾劾調査」が正式に開始されたことだ。

この弾劾調査はケビン・マッカーシーが下院議長だったときに「調査を開始する」と発表されたものの全く進まなかったのだが、マイク・ジョンソン下院議長に代わって動きだしたのだ。

今回の調査はバイデン大統領の息子ハンター・バイデンによるビジネス取引や、家族への資金供与についてが中心になるが、正式な弾劾調査が進めば今までのらりくらりと逃げてきたバイデン一家とそのビジネス関係者への証人喚問などが進む可能性がある。この調査が進み、実際に弾劾決議が出されれば、バイデン政権のみならず、民主党にとって打撃となるだろう（だが、弾劾動議自体は上院での3分の2以上必要で、通る見込みはない)。

そして2つ目は国家予算決議に関する内容だ。

下院の大きな機能の1つが予算の立案と承認機能である。ホワイトハウスが議会に対してウクライナとイスラエルを支援するための緊急予算を求める中、下院はイスラエル支援に限定した予算案を可決した。これはイスラエルとウクライナへの支援を包括した巨大パッケージである1000億ドル以上の緊急予算をホワイトハウスが議会に要請していたのだが、マイク・ジョンソンは期限を延ばすことには同意したものの、メキシコ国境強化が最優先としてウクライナへの支援を跳ねつけた形となった。

このように、マイク・ジョンソンは米議会下院が持つ強大な予算承認パワーで、バイデン大統領を追い詰めていっている。

最近では、ウォール・ストリート・ジャーナルのようなメディアでも、オバマ元大統領の周辺でバイデン降ろしが始まっていると伝えている。ロン・デサンティスやニッキー・ヘイリーなど共和党のトランプ以外の大統領候補者が相手でも、バイデンでは勝てないという数字が出始めて、バイデン側からも弱気な発言が見られている。23年末の私の読みでは、バイデンは健康問題や年齢など、何らかの理由で大統領候補になることを辞退し、他の民主党候補者に譲って引退したいと考えているのではないかと考えている。

一方の共和党だが、23年12月の調査では、ドナルド・トランプ支持が69％、ロン・デサンティスが12％、ニッキー・ヘイリーが9％と、予備選ではトランプが圧勝すると見られている。23年初頭の段階ではデサンティスに多くのドーナーから資金が集まっていたが、失速し、今ではニッキー・ヘイリーに多くの資金が集まっていると言われている。

24年大統領選の共和党側の候補はトランプで決まりだろうが、民主党は司法を使った公民権の停止や、1・6事件を理由にコロラドなどの民主党州でトランプの票を数えない法律を通すなど、ありとあらゆる手を使って妨害をしてくると見られている。

予備選が集中するスーパーチューズデーのある3月には、民主党も出方を固めなくてはならない。バイデン以外には、ギャビン・ニューサム他数名しか有力な候補がいない民主党であるが、資金集めの力は強力だ。16年の大統領選のときにはヒラリー・クリントン陣営はトランプ陣営の6億ドル（約900億円）の2倍の12億ドル（約1800億円）の資金を集めたと言われている。

今回の大統領選挙では、どちらの候補にどのくらいの寄付が集まるかに関してはまだ発表されていないが、スーパーチューズデーの始まる24年3月くらいから一気にヒートアップしてくると予想される。

第２章

ウクライナは「明日の日本」
——他国に国防を頼る亡国の姿

1. プーチン対バイデンの代理戦争の内幕

この章では、露ウクライナ戦争を数年、日本で報道されているのとは180度違う見方をしてきた私が、開戦時からフォローしている元米国軍人の分析を、章を設けてあえて紹介することにした。

結論から言えば、現状のままでいけば、「今日のウクライナは明日の日本」だからだ。大半の日本人は「まさかそんなことが起きるわけはない」といつものように他人事として、テレビを観て「ウクライナ人可哀想、悪魔のプーチンが悪い」とテレビ出演の〝専門家〟のもっともらしい話を聞いて思ってきた。

だが、私はこれは〝他人事〟ではないと考えている。全く同じ状況にならなくても、すでに日本は戦後長く頼りにしてきたアメリカの核の傘に入っていて、抑止力があり、安全だと信じてきた。どんな敵が来てもアメリカさんが白馬の騎士よろしく日本を救ってくれると信じてきた。

だが、ウクライナでわかったのは、ロシアという核大国が侵攻してきたとき、「欧米の核保有国は絶対に自らの〝軍を出し〟、同盟国を支援することはない」。その代わり「兵器とカネを出すからお前たち戦え」という厳しい現実を見せつけられたということだ。しかしその真の意味さえ、毎日の些末な戦況を取り上げるだけの欧米のコピー・メディアの報道で知る由もない。

マクレガー元米陸軍大佐による露ウクライナ戦争の見立て

2022年2月24日、世界はウクライナ国境周辺に兵を集結させていたロシア軍が一気にウクライナ領土に侵攻したことに震撼した。侵攻開始後すぐに欧米や日本などが経済制裁を行うと発表し、バイデン政権はウクライナに対して兵器の提供と財政的援助を行うと発表した。また、欧米諸国によるロシアへの経済制裁、ルーブルの狙い撃ちにより、一時対ドルでルーブルが急降下したことは周知の通りである。

3月初めになると、ホワイトハウス、国防総省（ペンタゴン）、国務省の見方がＣＮＮを始め米メディアで毎日紹介されてきた。彼らは、経済制裁によってロシアは早々に国力を失い、ロシア軍の力も大きく低下すると見ていた。元米軍の将官たちによるＦＯＸニュースやＣＮＮなどテレビの解説もほぼ同じ見方だった。

日本でもテレビに出てくるロシアが専門の大学教授、元自衛隊幹部や防衛研究所の人々も、いつものようにアメリカの国防総省や戦争研究所などの見方をなぞっていた。簡単に言えば、アメリカのプロパガンダに踊らされ、〝大本営〟発表を孫引きしているだけだった。だから、プーチンは早々に退陣を迫られ、ロシア国内でクーデターが起き、ロシアの国民はすでに食うにも困るほど追い詰められている、といった報道がずっと続いてきたのである。

ただし、開戦直後からＦＯＸニュースのゲストとして登場していた元国防総省長官顧問のダグラス・マクレガー元米国陸軍大佐はそのインタビューで、「ロシアとウクライナは兵員数の差だけでなく、実際の兵力差ははるかに大きい。この戦争で圧倒的な兵力を持つロシアには弱小のウクライナは全く勝ち目はない」とはっきり述べた。しかも、「たとえアメリカとＮＡＴＯ軍が相当な支援をしたとしてもその差は埋めきれるものではない」とも付言していた。

これらは22年3月の時点での発言だが、なんと彼はこの発言によってＦＯＸニュースから干されてしまった。ＦＯＸニュースも露ウクライナ戦争報道では米軍産ネオコン側であることを露呈したわけだ。しかし私はＦＯＸニュースのインタビューで「このマクレガー大佐は、真実を話す数少ない元米軍の解説者だ」と直感した。24年初頭、彼の当初からの見立て通り、すでにロシアはその勝利を不動のものにしている現実がある。欧米メディアは23年秋ぐらいからそのシグナルを出し始めたが、日本マスコミはいつものようにコピー専門なので、年末から「おかしいな、必ず成功すると言ってきた〝反転攻勢〟が失敗したようだな」程度の報道に終始している始末だ。

ウクライナ軍による3度目の最大の〝反転攻勢〟は23年の春先から始まると言われていたものの、結果的に6月へとずれ込んだ。マクレガー元大佐によれば、この6月の時点ですでにウクライナ軍は35万人もの死者を出していた。

ウクライナ軍の反転攻勢では、日本のメディアもその進捗ぶりを数キロ進んでロシア軍の陣営を破ったなどと幾度も地域戦レベルでの詳細を報じていた。だが、そのほとんどは米国防総省やNATOによるいわば〝大本営発表〟のコピー記事である。

この時期の戦況を正確に伝えようとしていた彼は、「2023年の反転攻勢が行われた数カ月間だけで約15万人のウクライナ兵が死亡した」とも発言している。何をベースにそんな数字が推測できるかと言うと、以下の理由などからである。軍人だけではないが、特に軍人が戦闘で死亡した場合、欧米では一般的に日本で言う死亡広告記事が新聞に掲載されるからである。大佐は、ウクライナに限らずほぼヨーロッパ全域からいくつもの信頼できる情報ソースを得ているため、彼の把握する数字の精度は高いと思われる。

また、ウクライナには8カ所の大きな墓地があるが、それぞれの墓地の面積がこの7～9月の間に急拡大していた。墓標の数が急激に増えている様子は衛星写真ではっきりと把握することができる。

さらに、彼は「ロシア軍が最も大きな兵力を保持していたと言われている1980年代よりもロシア軍は2023年10月の時点でさらに兵力を増強している。予備兵を入れいまだ215万人の兵員をロシアは抱えており、まだ十分な余力がある。対してウクライナ軍はすでに45〜50万人の死者を出しており、傷病兵は90万人にも及ぶ。戦況は圧倒的にロシア軍が優位のまま進んでいる」と断言している。

アメリカにも少数だが、いくつかのソースに基づいて、マクレガー元大佐と同じように戦況を冷静に見ている人たちがいる。にもかかわらず、欧米の主要メディアも日本のメディアもその客観的かつ冷静な報道をすることはない。

例えばウクライナ軍に比べてロシア軍は砲弾の予備がすぐに尽きてしまうだろうと欧米側は当初から予想し、メディアも同様に報じていた。だが、その予想に反してロシア軍は圧倒的な数量の砲弾でウクライナ軍を攻撃し続けた。

2022年のウクライナ侵攻が始まってから23年9月までにロシア軍は5〜10万人の死者とその約2倍の負傷者を出していると見られている。しかし負傷したとしてもすぐに治療を受け、ある程度回復すれば戦線に復帰できる兵士も多いという。

一方、ウクライナ軍のほうは反転攻勢で戦車や装甲車などでロシアの陣中に攻め入ったが、至る所に数多くの地雷が仕掛けられていた。この地雷で手足を失ったウクライナ兵たちも多く、その多くの兵士は戦線に復帰できない状態に陥っている。

ロシア軍の圧倒的な火力の前に疲弊しているウクライナ兵に向かってロシア側から特定のラジオの周波数を使って投降を呼び掛けると、1度に50人、100人、150人といったように小隊や中隊を率いる指揮官たちも含めて投降する兵士が多くいるという。なぜなら、ウクライナの兵士たちは、投降しても拷問を受けたり殺されたりしないことをよく知っているからだ。前線からはむしろ、投降するウクライナ兵をロシア軍が手厚く保護しているという話も伝わってくる。

兵士たちは自分たちが降伏した後に、拷問され殺されることがわかっていれば死ぬまで戦うケースが多い。この場合はまるでそういうことは起きていない。

また、ウクライナ兵の場合は、負傷兵たちは前線で負傷しても後方の病院での治療を受けるのに賄賂を渡さなければ治療が受けられない、ということが常態化しているという情報が出てきた。これは、日本人の感覚としては信じられないことだ。もともとウクライナは世界でもトップクラスの不正と賄賂が蔓延している国だということはよく知られている。だが、戦闘での負傷の治療であっても賄賂が必要という過酷な現実がある。

以上が、23年10月にハマス・イスラエル紛争が起きるまでのマクレガー元大佐による露ウクライナ戦争についての見立てである。

最初からプーチンはウクライナへの侵攻を〝特別軍事作戦〟と呼んでいた。つまり、ロシアにとってこの戦争はいまだに特別軍事作戦なのである。だとすれば、ある一定の目的を達成すればそれ以上進むことはない。

パウエル国務長官は「ソルジャー」の気概があった

マクレガー元大佐の「ロシアとウクライナの実際の兵力の差は10倍近くあり、ウクライナには全く勝算がない」という当初の発言を聞いて、私はこの人の見解は信用できると直感し、その経歴を調べることにした。

彼は1953年生まれで、ウエストポイント（米国陸軍士官学校）を卒業し、バージニア大学で国際関係論による博士号を取得している。70年代のベトナム戦争末期に陸軍に入隊し、湾岸戦争、コソボ紛争などでの軍歴があり、最終階級は前記の通り陸軍大佐だ。

また、古今東西の戦史と戦術の話を引き合いに出しての解説が多い。例えばハンニバル（ポエニ戦争でローマを苦しめたカルタゴの将軍）の戦いや、第一次・第二次世界大戦の各国の軍事力、戦略・戦術のほか、古くは孫子の兵法まで幅広く研究している軍事・軍略の歴史学者という一面もある。

彼はこれまでいくつもの戦争の作戦に参加し、実際に指揮官として現場で部隊を率いてきたことから、自らを「ソルジャー」と言ってはばからない。ちなみに「ソルジャー」は「兵隊」の意味だが、軍では言外に「現場の人間」という意味も込められている。

彼は数冊の本も著している。それらで述べている戦略や戦術が当時の米軍のものと大きく違っていたり、軍のトップたちを批判する記述があったりするために陸軍上層部の中で疎んじられ、結局将官に昇進することなく退役することとなった。しかしその後、当時のトランプ大統領の推薦によって国防総省長官顧問に任命された。

トランプはマクレガー大佐をドイツ大使に任命しようとも考えていた。なぜなら彼はドイツに8年駐留していた経験を持ち、流暢にドイツ語を話し、欧州各国にも広くネットワークを築いていたからだ。ところが、なぜかこの話は見送られることになった。国防総省のトップから相当な横槍が入ったようだ。

それはともかく、彼はトランプ政権下で短い間ではあるものの国防総省に勤務した経験から、ワシントンDCにいる高位の軍人・官僚たちが非常に偏った意見を持っているのを嫌というほど痛感することになった。米軍の最高位にいる首脳陣はほぼ官僚であり、現場を熟知している軍人はほとんどいなかったのである。

ここで想起されるのが、黒人として初めて軍のトップである統合参謀本部議長を務め、国務長官に抜擢されたコリン・パウエルだ。

パウエルの経歴を振り返ると、レーガン大統領時代に国家安全保障大統領補佐官を務め、ジョージ・ブッシュ・シニア大統領時代とクリントン大統領時代に黒人として初の統合参謀本部議長（陸・海・空・海兵隊4軍のトップ）に就任した。ジョージ・ブッシュ・ジュニア大統領時代では国務長官の重責を担っている。

湾岸戦争の際にはパウエルは米軍の総指揮をとることになった。しかし彼の自伝に幾度も記述があるが、パウエルはワシントンの国防総省で他の官僚たちと仕事をするよりは、最後まで現場で軍の指揮をとることを希望していた軍人であった。

ジョージ・ブッシュ・シニアは、この優秀な黒人の統合参謀本部議長を何とかホワイトハウスに留め置き、国防総省か国務省のトップを任せたいと思っていたようだ。だが、パウエルはそれを望まず、現場の指揮をとることに固執したという。なぜならばパウエルは国防総省の中枢にいる軍人上がりの官僚たちが政治的な動きだけに終始し、その時々の政権で出世争いしていることを目の当たりにしていたからである。

私が空手を通じて親しくしている友人の一人、元米海兵隊員でF16戦闘機のパイロットのマイクは「あるレベル以上の将校・士官になると、ほぼ全てはポリティカル・オフィサー（政治将校）であると軍人なら誰でも知っている」と語った。

米軍の階級は、士官の場合はO－1に始まり、現場の任にあたるのはO－5くらいまでである。O－6以上になると国防総省でワシントンDCの時の政権首脳や軍のトップたちと政治的なやり取りを求められるようになる。

マクレガー元大佐ももちろんこうした実情をよく知っている。だから彼は、「露ウクライナ戦争が勃発してから数カ月が経つが、ワシントンに巣食っているポリティカル・オフィサーたちは、米軍がかつて最大の兵力とモチベーションを保っていた1991年の米軍と同じつもりでいる。だが、この20年の間に米軍の力は当時に比べてはるかに低下している」と繰り返し述べている。

人材不足と兵器の老朽化でますます低下している米軍の現状

マクレガー元大佐は、米軍の力が低下した第1の理由は、現在の米軍は海兵隊を除いて陸・海・空軍共に、新兵を募集しても必要な採用枠に満たず、慢性的な人材不足の状態が続いていることだとし、「これは米軍にとって致命的だ」と指摘している。

第2の理由は、米軍の持つ兵器・武器が1999年までのような最新・最高レベルではなく、現在かなり旧式になり、補修しながら使っているケースも多いということである。米軍の装備の老朽化が急速に進んでいる。「これは総体的に軍備予算が削減されているためだ」とも訴えている。

すでに述べたように露ウクライナ戦争における彼の発言は、国防総省、国務省、戦争研究所、NATOによるウクライナ有利という欧米のプロパガンダとは真逆である。日本のマスコミは欧米のプロパガンダの孫引きコピーしか流さないが、日本でマクレガー元大佐の発言に極めて近いのは元陸上自衛隊陸将補の矢野義昭さんの戦況分析だ。マクレガー元大佐は、増加する墓標の数、現地の傷病兵で満員になっている病院の状態などのインテリジェンスを、衛星写真を使い冷静な分析を行っている。矢野氏もやはり衛星写真を使って戦況を分析している。

トランプも指摘していたことだが、民主党政権になると実際の米軍の装備にかける予算は削られる傾向にある。

共和党政権でもブッシュ政権のような軍産複合体との癒着が激しいネオコン政権なら海外の戦争に関与していく場合、海外派兵や駐留のための予算は巨額なものとなっていった。だが、相対的に軍の武器や装備を最新式に保つほどの予算はなかったと、マクレガー大佐は述べている。

米軍の力を低下させた過激なLGBTQジェンダー教育

米軍の力が低下した第3の理由で非常に深刻な問題は、今全米の小・中学校で進められている凄まじいＬＧＢＴＱ教育と批判的人種理論（ＣＲＴ）が軍の内部でも幅をきかせるようになったことだろう。この動きが顕著になってきたのはオバマ大統領のときかららしい。

ここ20年ほどの間にＬＧＢＴＱ、ジェンダー差別反対の性教育が軍の中にシステマティックに取り入れられてきたのである。

以前はゲイが存在していても軍の中でおおっぴらに「自分はゲイだ」と言う人は少なかった。ところが、クリントン政権のときに軍の中にＬＧＢ教育が入ってきて、軍にいるゲイの人たちの処遇が問題となった。ＬＧＢとはレズビアン（Ｌ）、ゲイ（Ｇ）、バイセクシャル（Ｂ）の3つの頭文字から取られている。

軍では全て団体生活だから、兵士がシャワーを浴びるときも個室でない場合が多い。それでクリントン政権では軍の中でジェンダーについて"Don't ask"（聞かない）、"Don't tell"（言わない）という方針が広く進んでいったのだった。

つまり、「聞かない、言わない」とは、性別やセクシャリティを訊ねない代わりに自分の性自認も公言しないように、ということである。

それがオバマ政権では、不問かつ公言してもいいということになって、今度はＬＧＢＴ問題が持ち上がってきた。Ｔはトランスジェンダー（肉体は男性だが内面は女性、またはその反対）のことである。レズビアンやゲイについて混乱はないのだが、トランスジェンダーの人たちには軍の中でトイレやシャワーの問題が出てくる。女性ホルモンを打ったり性転換手術したりした男性に軍の中でどのように対処するかということだ。

アメリカでは民主党政権のときに学校や社会でＬＧＢＴの権利を認め、そのジェンダー性教育を進める方向になってきた。現在のバイデン政権下でも、軍でもそれらを着実に推し進めようという動きがある。さらに最近ではこれにＱも加えられてＬＧＢＴＱ教育ということになっている。Ｑというのはクィア（性的少数者全般）とクエスチョニング（自分の性別や性的嗜好を探している状態の人）の２つを指しているらしいが、正確な中身は不明だ。

以上は、私の友人である日本在住の元米海兵隊員のマックス・フォン・シュラー小林さんから私が実際に聞いた話である。

レイチェル・レビーンという現在、アメリカで最も著名なトランスジェンダーの女性をご存じだろうか。ハーバード大学卒業の医師資格を持つ元男性で、軍の中では、４つ星将軍で初めてトランスジェンダーであることを公言した。２０２１年にはバイデン政権で保健福祉省保健担当次官補となった。年配の肥満した白人男性で長髪にして、軍服は女性士官がはくスカートをつけていつも出てくる。私の仲のいい元米軍の人たちもこのトランスジェンダーの米軍トップのことが話題になると、ため息をつくのである。

このレビーンが米軍の保険衛生部門の最高幹部だということもあり、バイデン政権下では米軍の中でＬＧＢＴＱ教育が積極的に取り入れられている。

トランスジェンダー兵士の〝性転換手術〟まで米軍負担の現実

私には元米軍海兵隊にいた友人が何人もいる。つい先日、一緒に食事をしたマイクは、空手は三段、高校、大学ではフットボールで鳴らし、退役後も大学のフットボールでコーチをしていた、高いインテリジェンスを持ったフィジカル派である。現在67歳だが、３年前から柔術を始めたという。

現在の米軍のトランスジェンダー問題について聞いたときに、彼は軍の現状を話してくれたのだが、驚くべきものだった。軍の中では以前と違ってトランスジェンダーが大っぴらに認められたことで、それを公にする兵士が出てきている。つまり男性兵士として入隊したわけだが、軍にいる間に自分はトランスジェンダー女性であるとカミングアウトするケースが出ている。その場合に、まずホルモン注射を打つところから始まるわけだが、その後は性転換手術に至るケースも多いという。その場合は、約10万ドル（1500万円）の手術費用は軍の支払いとなり（この手の手術だけでなく軍人の医療費は基本全て米軍が負担する）、最低でも6カ月くらいの休暇をとることもあるという。その間の手当てを含め、全て米軍の経費となるのである。

さらに、トランスジェンダー女性は、ホルモン注射治療を一生続けなくてはならない。この経費も一生米軍が負担することになるとのことだ。

この話をしてくれたマイクの情けない顔を見て、唖然とするばかりであった。

彼が、「我々が仮想敵国としてきたロシア軍、イラン軍、中国軍では間違ってもこんな処遇を軍人にしていないだろう。今や米軍の戦力もモラルも大幅に低下してしまった」と嘆く由縁だ。

こうした民主党左派のグローバリストたちが進めているＬＧＢＴＱ教育を中心とするジェンダー教育は軍そのものの力を弱めていくことになると、数多くの現場の将官たちが言及している。

彼らは軍の現場に長くいた叩き上げの軍人が多く、マクレガー元大佐もその代表格の1人なのである。

トランスジェンダー問題でモラルが急低下した米軍

先に紹介した元米海兵隊員のマックス・フォン・シュラー小林さんは、日本に42年滞在している知日派軍事アナリストである。彼とは頻繁に対談や情報交換を行ってきた。

さらに、ロバート・エルドリッジ博士。彼は２０１１年３月11日の東日本大震災のとき、自衛隊と米軍の間での共同作戦を立案・実行し、米軍の作戦を「トモダチ作戦」と命名した。実質的にこの作戦の米軍側の責任者だった。

この３人が一様に言うのは、「現在の米軍の力は過去とはまるで違い、はるかに力が低下してしまった」ということだ。露ウクライナ戦争で最初からロシアの勝利を明言していた、トランプ政権時の国防総省長官顧問だったマクレガー元大佐も同様の見方だ。やはり「米軍の持つ兵器の質と量、整備の状態と兵員の士気は以前の状態よりも著しく低下している」と述べている。

すでに述べたように、もっとも見逃してはならないのがここ十数年、オバマ政権時代から民主党政権がＬＧＢＴＱ教育を米軍の中に持ち込んできたことである。

米軍は、映画やテレビ（例えば「コンバット」など）でドラマ化された第二次大戦時代に比べると、確かに１９６０年代になってベトナム戦争あたりではかなりモラルが下がってきていた。それでも80年代ぐらいまでの米軍の実力はその装備とともに世界でトップレベルにあったのは間違いない。

しかしクリントン政権からＬＧＢ教育、オバマ政権からＬＧＢＴ教育が軍に持ち込まれ、ゲイ、レズビアン、バイセクシャル、トランスジェンダーを容認し差別をしてはいけないとされた。最近ではＬＧＢＴＱ教育へと拡大している。

米軍関係者の話によると、米軍では連休の前など3カ月に1度くらいの頻度で外部から講師を招いて話を聞く機会を設けている。当初は「飲酒運転をしないように」とか「事故を起こさないように」などといった話を講師にしてもらい、連休中に問題を起こさないための意識を高めるのが主だった。しかし最近では、セクシャル・ハラスメントやジェンダー・ハラスメントを防ぐための講義も増えているという。

現在、世界の中のＬＧＢＴＱの聖地と言われる場所がある。それはサンフランシスコだ。これは以下の理由による。以前の米軍はホモセクシャルであることは御法度で、軍にバレると不名誉除隊（disornable discharge）になっていた。不名誉除隊は軍の退役の中で最も厳しい形態で、これで除隊になると、退役軍人としての恩給や保障が全て受諾できないという厳しいものだ。第二次世界大戦中には多くのホモセクシャルの軍人が不名誉除隊により解雇された。欧州戦線にいた多くの同性愛の軍人たちは、主にサンフランシスコにあった大きな軍港に送り返されて来た。彼ら不名誉除隊者の多くは、故郷に帰って肩身の狭い思いをするよりは、サンフランシスコにとどまって生活することを選んだ。それでサンフランシスコはアメリカ、いや世界のＬＧＢＴＱの中心地となったのである。

改めて言うが、ゲイやレズビアンといったホモセクシャルの人々は性的嗜好の問題なので、実は特に問題はない。ところが、トランスジェンダーになると話は変わってくる。

例えば、ゲイの人たちの体は男性なので男性トイレに入るが、トランスジェンダーは体は男性なのに心は女性だから「女性用トイレ、女性用シャワーを使いたい」と主張し始める。また、潜水艦や小さい軍艦などは男性しか乗っていない船もあり、そこに「心は女だから乗れません」などと言いだす兵隊が出てくると、もう収拾がつかなくなる。

以前なら「男らしさ」に憧れてマッチョ系の若者たちが米軍に入隊していた。しかしトランスジェンダー問題が軍に持ち込まれて蔓延したため、米軍のモラル（勤労意欲）は非常に低下し、志願者も減っている。

マイノリティ（少数民族）の血が社会的〝上位〟となった現在のアメリカ

マクレガー元大佐は国防総省で長官顧問をしていたとき、国防総省の中枢にいた。国防総省のエリート軍人たちは、かつてのロシア軍の情報をもとにして、ロシア軍の実力を非常に過小評価してバカにしてきた。

ワシントンDCにいる軍人たちは先に紹介したいわゆるポリティカル・オフィサーで、彼らは軍の中で出世をするために、上官の顔色を窺いゴマを擦って熾烈な出世競争をかいくぐっているのだ。軍を良くしようとか、アメリカのためとかではなく、自分の出世のために政治的に動く政治的軍人が、ワシントンにはわんさかいるのである。

マックス・フォン・シュラー小林さんに聞いたことだが、彼が海兵隊に入隊した1970年代には新兵をしごく、いわゆる昔でいう鬼軍曹（Drill Sergeant）がいて、彼らは徹底して新兵を鍛えるのだが、そこには白人もなければ黒人もない。厳しい訓練の初日、鬼軍曹は新兵たちにこのように言うのである。"You are no white, You are no black. But you are all green."「今日からお前たちは白人でもないし、黒人でもない。ここでは全員海兵隊員（グリーンは海兵隊員を指す）だ」と。米軍の中で攻撃のみ任される海兵隊員には人種の差などない。そんなものはこの海兵隊には存在しないという見事なまでに人種差別など許さない海兵隊の掟を一言で表したフレーズだろう。

また、軍では白人の上官が黒人の部下をはっきりと叱れないといったことも起こっている。人種差別反対の名目でいわゆる「批判的人種理論」に基づいたおかしな教育がすでに米軍の中で始まったからだ。

マイクやマックスは今でも現役や退役軍人とも緊密なネットワークを持っている。現在の米軍は、白人の上司は黒人の部下に対して厳しい指導ができないというところまできているという。これは、白人が16世紀以降にアフリカから黒人奴隷を連れてきたということで、先述の「批判的人種理論」を基にした教育が米軍の中まで浸透してきていることによる。

つまり、かつての奴隷貿易時代の被害者の黒人に対して加害者の子孫である白人上官は厳しい指導ができないということが起きている。これなどは軍にいる士官たちのモラルそのものを破壊していくことにつながっている。

70年代までの海兵隊では面接をする前に履歴書などに写真があったので、白人か黒人かわかったのだが、今は履歴書に写真はない。

さらに別の観点もある。新兵をリクルーティングするときに、以前は聞かれなかったような質問、すなわち「その人の現在の人種が、黒人、白人、アジア系、スパニッシュ系なのか」というだけではなく、「本人のおじいさんや先祖をさかのぼって、例えば白人のように見えているが黒人の血が8分の1入っている」とか、あるいは「ネイティブ・アメリカン（以前はインディアンと呼んでいた）の血が少しでも入っているかどうか」で、昇進の度合いが違うというのである。

マイノリティ、黒人やネイティブ・アメリカンの血がどこかに入っている家系だと昇進する際に有利に働くということがすでに起きている。

私の身近に同様の例があったので紹介したい。私の妻は長くシカゴ郊外の私立大学に勤めていた。そこに就任した新しい学長は就任直後の最初のスピーチで、「私にはネイティブ・アメリカンの血が入っている」と誇らしげに語ったのである。

当時、私はなぜ彼がそれを誇らしげに語るのかその意味がよくわからなかった。妻によれば、ネイティブ・アメリカンの血が入っていることは、現在のアメリカでは、誇るべき、過去差別されてきた歴史のある人種ということだ。しかも、それは純粋な白人よりも有利なポジションにあるというおかしなことが、まかり通っているのである。

外見上はどう見ても彼は１００％白人であった。16分の1か32分の1かわからないが、ネイティブ・アメリカンの血が入っているということをウリにしていたのだ。彼は当時のオバマ政権の人種多様性関連の教職者会議で重要ポストに就いたことも、誇らしげに語っていた。

同様にアメリカ連邦議会で上院議員を務めてきたエリザベス・ウォーレンという女性は、以前から自分にネイティブ・アメリカンの血が入っていることをさも自慢げにスピーチの中で何度も発言していた。だがＤＮＡ鑑定の結果、それが全く事実ではないことがわかって、彼女はその発言を取り消さざるを得ず、２０１９年8月のネイティブ・アメリカンの集会では謝罪に追い込まれた。

彼女は２０２０年の民主党大統領予備選にも出たのだが、そのような人物でさえ、ネイティブ・アメリカンの血が入っていることが、自分に何か有利に働くと考えてきたのである。

彼女の嘘を多くの人たちが揶揄（やゆ）した。当時の大統領トランプも彼女を「ポカホンタス」に喩えたのだった。これは、ネイティブ・アメリカンの若い女性主人公をテーマにしたディズニー映画のヒット作品から取ったものだ。

学校で、子供たちに批判的人種理論という新たな人種差別教育を行っている弊害は、子供たちの将来を考えると背筋が凍る思いをする。だが、軍における同様のＷｏｋｅカルチャーの人種教育の問題で米軍の力が衰えていくことを、現役・退役を問わず非常に心配しているアメリカの軍人は少なくない。

21年5月15日にアメリカ軍をすでに退役した将官および海軍提督たち２１９人による連名の書簡が公開された。それはバイデン政権による米国憲法の定めた言論や表現の自由の抑圧政策に対して怒りと非難の声を上げたもので、次のように宣言している。

「何千もの米軍の兵士を、存在しない脅威のために、米国議事堂で警備に当たらせているのは（1・6事件後の米軍を使っての過剰警備を指す）、軍を政治的手駒として利用しているに過ぎない。人種を分断する『批判的人種理論』というポリコレを軍の中にまで進めていることは、軍の本来持つ『戦いに勝利する』というミッションを崩壊させ、国家安全保障上の重大な危機をつくり出している。軍と退役軍人をサポートし、戦闘に焦点をあて、軍の内部で兵士のモラル（勤労意欲）を砕いているポリコレを一掃しなくてはならない」

パレスチナ連合の実力を過小評価するアメリカ

２０２３年10月7日、ガザのハマスの戦闘員が一挙に国境を越えてイスラエルに侵入し２００名以上のイスラエルの民間人を拉致・誘拐した。同時にガザから３０００発以上のミサイルを撃ち、イスラエルでは１０００名を超える死傷者が出た。対してイスラエル側も即座にガザに激しい反撃のミサイル攻撃を行い、ネタニヤフ首相は即ガザ内部での地上戦を開始しハマスを殲滅すると宣言した。

その結果、イスラエルのハマス・民間人かまわずの攻撃でハマス側のパレスチナ人たちの死亡者は2万人以上に達したと報道されている。

このハマス・イスラエル紛争に関連してマクレガー元大佐は、「ワシントンＤＣにいる国防総省のトップ官僚たちや軍人たちはまだ、パレスチナのハマスをはじめとする武装勢力やアラブ諸国の軍事力は依然として20～40年前の実力しかないと過小評価をしている」と発言している。

つまり、今のロシア軍の軍事力は数十年前の圧倒的に米軍が強くロシア軍が弱かった時期と変わらないというのと同じ過小評価を、アラブ諸国に対しても下しているのである。

イスラエルは世界最高と言われる諜報機関モサドと、最新のハイテク兵器を備えた軍隊を持っている。首相のネタニヤフは「ガザでの地上戦を通じて、ハマスを最後の一兵まで殲滅、殺害する」と公言した。

もし実際にそれをガザで行ったら、ハマスだけでなくイスラエルと近年比較的友好関係にあったエジプトでさえ反発する。さらに、強力なテロリスト組織のヒズボラを擁するレバノン、あるいはシリア、イエメン、イラク、最終的には最大の反米国家イランが団結してイスラエルに立ち向かってくることになると予想される。イランには後ろ盾として長く武器供与をしてきたロシアと、さらに現在はロシアと同盟を結んでいる中国もいる。

これらの反米同盟が全てハマス・パレスチナ側に立ち、イスラエル軍への攻撃をすることになった場合、アメリカは露ウクライナ戦争、イスラエルとアラブ諸国との戦争という二正面戦争にさらされることになる。

マクレガー元大佐はこれまで何度も言っているのだが、現在の米軍にはすでに二正面戦争をできる力はないし、フルで全面戦争をやるだけの力もなくなっている。だからイスラエルとアラブ諸国との戦争が続くと、イスラエルはウクライナのような状況になる可能性があると語っている。

ある番組で司会者が「ウクライナは現在どんな状態にあるのですか」と質問したとき、大佐は「ウクライナは破滅の道、亡国の道を歩くように当初から仕掛けられていた」と語った。また、「もしイスラエル軍が全面的な陸上戦でガザを攻撃したら、それはネタニヤフにとって自殺しに行くようなものだ」とも付け加えたのである。

露ウクライナ戦争に対する矢野義昭氏の見立て

露ウクライナ戦争が勃発した２０２２年2月24日から私は、マクレガー元大佐をフォローしてきたと言った。日本でマクレガー大佐と同様に、この戦争が始まってから私がその分析を注目してきたのは、前述の矢野義昭元陸上自衛隊陸将補である。

この２人の露ウクライナ戦争と、ハマス・イスラエル紛争の見方は非常に近い。２人ともどちら側の陣営のプロパガンダにも与することなく冷静に戦況を分析しているからだ。

私は23年11月に自分のニコ生チャンネルに矢野義昭さんをゲストとしてお招きし、現在の露ウクライナ戦争の戦況や今後の見通しなどをお聞きした。

矢野さんは数字を挙げて、「大きく見ればロシア軍予備役が200万人、ウクライナ軍予備軍が90万人で兵員数ではほぼ2対1なのだが、火力、砲弾、ミサイル数、戦車の数などでは圧倒的にロシア軍が凌駕している」と言う。

これは例えば欧米のNATOを全部足しても砲弾の製造能力が年間30万発しかないのに対し、ロシアは長く周到な戦争準備をしてきており、年間200万発以上の砲弾の製造能力がある、ということだ。

矢野さんも、「衛星写真によるとウクライナ領土の墓所は急拡大の状態にあり、新聞の死亡広告に載る人々の数が圧倒的にウクライナ側が多く、45万〜50万人もの死者が出ており、負傷者は100万人ほどいて、そのうち7万人は重症者で戦線に復帰できない」と語った。

しかも23年末のウクライナ兵の平均年齢は40歳を超えており、主力は老年兵となっていると語っている。

したがって、矢野さんの見方もマクレガー元大佐と同じく、露ウクライナ戦争は実質的にロシアの勝利と明確に指摘している。また、ウクライナがドローンで反撃しているのは、ゼレンスキーが欧米に未だしっかりと戦っているというジェスチャーなのだという見方である。

私が矢野さんに「今後ウクライナにはどのようなシナリオがあるのか」と聞いたところ、彼の答えは以下の3つのうちのどれかというものだった。

1番目はウクライナで軍が反乱によってクーデターを起こす、2番目はゼレンスキーが暗殺されるか国外に逃亡する、3番目は民衆が蜂起して政権を打倒する。過去の戦争での例のように、無益な戦争を続けた場合、指導者は悲惨な運命をたどるという見方である。いずれにせよ、ウクライナには暗澹たる未来が待っていることは間違いない。

ロシアに〝経済制裁〟したEUの経済が一気に悪化している現実

2022年2月末のロシア軍のウクライナ侵攻後、バイデン大統領は即座に「ロシア通貨のルーブルを国際銀行決済システム（SWIFT）から排除する」と発表した。これによってロシアは国際貿易のドル決済ができなくなった。そのため、あっという間にロシアは干上がり、国内では食料や物資が不足するようになり、経済的な大ダメージを受けると予想されたのだった。

ところが現実は、この発表があった直後には確かにルーブルは急落したものの、ほどなく開戦前の水準まで回復した。以後、ルーブルは多少上下することはあっても安定している。

またウクライナ侵攻によってロシアが力で国境線の現状変更を行ったという理由から、日本を含む欧米先進国は全てウクライナを支援するとともにロシアへの〝経済制裁〟を発動した。

日本は経済制裁以外でも複数の在日のロシア大使館の職員8人を「ペルソナ・ノン・グラー

タ」（他国から派遣された特定の外交官を「好ましくない人物」と認定して受け入れの拒否や取り消しを行うこと）として国外退去させた。

ロシアへの経済制裁では欧米諸国は、ロシア産の資源、特に天然ガスの輸入を禁止した。しかしEU諸国のうちドイツはこの十数年で天然ガス輸入に占めるロシア産の割合を65％にまで上昇させていた。

これは、環境に配慮するグリーン・ニューディール政策の一環としてドイツ国内の原発や火力発電所をほぼ停止させ、ロシアの天然ガスに頼るという構図になっていたからだ。他のEU諸国でも程度の差はあれ、EUの進める過激環境政策を推し進めるよう強制されていた。そのため、ロシア産天然ガスの輸入禁止は経済的な打撃となった。

私がイタリアのジャーナリストから得た情報では、プーチンはこの十数年でヨーロッパのグリーン・エネルギー推進派のNGOなどに多額の資金を提供し、「ヨーロッパ各国がロシア産天然ガスに依存しなくてはならない体質を作る」下工作をしていたという。プーチンは将来の欧米との戦いを予期して、そのような準備を密かに進めていたと私は考えている。

国際貿易決済は基軸通貨である米ドルによって行われているので、バイデンがウクライナ侵攻直後にルーブルをSWIFTから排除したのは、米ドルを〝武器化〟したことにほかならない。

だが、これによってロシアをはじめとするBRICSと多くの反米諸国が結束し、〝非ドル化〟

のスピードを一気に加速することにつながっていったのである。

〝非ドル化〟を急速に進めるBRICS

BRICSでは現在も、約80％の貿易決済を米ドルで行っている。だが、ここ十数年ほどでBRICS間における米ドル決済の比率は大きく下がってきている。

そこに露ウクライナ戦争が起こったため、過去十数年のほぼ10倍のスピードでBRICSの非ドル化が進展している。

BRICS首脳会議が2023年8月に南アフリカのヨハネスブルグで開催されたのだが、それに先立って、各国の現地通貨による貿易の決済や資金調達などで米ドル依存から脱却するためにBRICSで独自の新たな共通通貨を導入する、との発表があるのではないかとの憶測も出ていた。

結果的には、共通通貨に向けての部分的な発表はあったものの、新通貨の発表はなかった。ただしBRICSの新通貨ができるとしても、その場合、変動相場制ではなく金本位制に近くなるだろうと言われている。ここ数年、中国とロシアは記録的ペースでゴールドの購入量を増やしてきたのもその一環だろう。

一方、23年7月には、インドはロシア産原油を輸入する際の決済通貨をルーブルとルピーで取引を始めた。

インドのロシア産原油の輸入は5月に過去最高を記録し、原油輸入全体の40％に達した。前年同月時に前々年対比では16・5％増だったが、インドによるロシア産原油の輸入の伸びは一気に4倍以上になったのである。

また、BRICS首脳会議では、サウジアラビアがBRICSに新しく加盟することが発表された。中国はサウジからの石油決済に人民元建ての取引を求め、サウジも応じている。さらに、アラブ首長国連邦（UAE）などの他の産油国側も同様に元決済を進めていくと発表している。

人民元建ての取引も含めて〝非ドル化〟はこれから一段と進んでいくと見られる。

ヘリテージ財団エコノミストのピーター・オンジェ博士によると、米ドルの世界シェアは01年には73％だった。しかし20年には55％へと減少し、さらにロシアへの経済制裁開始後は47％に下落した。非ドル化は過去20年の10倍のスピードで進行している。

BRICS以外にも、トルコがロシアの天然ガスをルーブルで購入するなど非ドル化の動きが急速に広がっている。

ＢＲＩＣＳのＧＤＰはＧ７をすでに超えており、総人口は世界の40％に達している。ロシアを訪問した習近平は、プーチンとの会談後に「ＢＲＩＣＳが米ドルを駆逐して米単独覇権から多極化に舵を切る」と宣言したのである。

ＧＤＰが急上昇のグローバル・サウスの動向

ここ数年、ＧＤＰ上昇などで力を見せつけているＢＲＩＣＳだが、アジア・アフリカなどのグローバル・サウスの台頭も見逃せない。

グローバル・サウスとは、インドやブラジル、タイ、南アフリカのような、主に南半球に位置するアジア、アフリカ、中南米地域の新興国・途上国の総称である。かつての冷戦時代に「第三世界」と呼ばれていた国々であり、グローバル・ノース（先進国）と対比される概念としてグローバル・サウスと呼ばれるようになった。

これらの国々はどこも発展途上国が多いが、ＢＲＩＣＳとグローバル・サウスがまとまれば、ＧＤＰでＧ７全体を上回り、人口も圧倒的に多い。アフリカなどでは国の数も多く、それぞれが国連では１票を持っているので、発言力も増してきている。ちなみに中国が一帯一路政策を行ってきた背景にも、インフラ整備や経済協力だけでなく、この「国連での１票」を獲得するのが大きな目的の1つだと言っていいだろう。

ＢＲＩＣＳやグローバル・サウスなどの新興国が台頭し団結し始めていることによって、欧米主導だった世界にも一気に変化が起きつつある。

プーチンの出していたシグナルを、欧米が読み違えて始まった露ウクライナ戦争

プーチンは２０２１年12月にはウクライナ国境沿いにロシア軍を集結させていった。しかしロシア軍がウクライナ領土に軍事侵攻していくという見方は、欧米では少数派だったのではないか。現実には22年2月24日、ロシア軍はウクライナ領土に侵攻を開始した。

直前の1月の段階ではウォール・ストリート・ジャーナル紙によれば、アメリカの国務省や国防総省では、もしロシアがウクライナに侵攻した場合、ハイテク技術の中でもロシアで生産が不可能と言われている半導体などの輸出を止める経済制裁を行うことによって、ロシアは特にハイテク製品の製造が困難となり大打撃を受けるだろう、との見通しがあった。だから22年1月の時点ではまだ、アメリカ政府もＮＡＴＯもプーチンのウクライナ侵攻に対し懐疑的だった。

だがプーチンは、ウクライナがＮＡＴＯ化すること、つまり、ロシアが求める中立ではなく、ＮＡＴＯの一部あるいはそれと同等の立場になることだけは「国家の存続に関わり絶対に容認

できない」との明確なメッセージをこの十数年に何度も欧米に送ってきた。そのメッセージがことごとく欧米によって〝意識的に〟無視されたために今回の侵攻が勃発したと言えるだろう。

このような見解は、シカゴ大学のジョン・ミアシャイマー教授やフランスの人口統計学者エマニュエル・トッド氏も繰り返し述べている。

プーチンは露ウクライナ戦争を〝特別軍事作戦〟と言った。マクレガー元大佐も語っているが、プーチンのウクライナ侵攻の目的はウクライナ全土の占領や掌握ではなく、当初からプーチンが言っていた通り、ドネツク州とルガンスク州という両地区のロシア系住民の救出が第一。両地区はウクライナの東の外れのロシアとの国境沿いにある。歴史的にも住民はロシア系が大半であり、ほとんどがロシア語を話している。しかし両地区のロシア系住民は近年2級市民扱いをされてきた。さらにロシア系住民への暴行や虐殺も行われていたいくつもの証拠画像が上がっていた。

だから、プーチンからすれば、これは戦争ではなく、右記の「ウクライナの中立化、非NATO化、非ナチス化、(プーチンによれば) ロシア系住民の救出」などが達成できればよいという一時的な〝特別軍事作戦〟なのである。

欧米のメディア報道とはまるでことなるロシアの現状

アメリカをはじめとするNATO、ヨーロッパ諸国と日本がお題目のように唱える「力による一方的な現状の変更は絶対に許すことができない」は耳障りのいい言葉だ。

ロシアが2022年2月末ウクライナ国境を越え侵攻を開始した。これは事実だが、22年2月から現在まで「悪魔のプーチン、かわいそうなウクライナ」という欧米の画一キャンペーンが延々と行われている。

その間、ウクライナ大統領のゼレンスキーというコメディアン上がりの政治経験皆無の人間が、欧米だけでなく日本を含む世界中を歩き回って資金と兵器の調達の要請を続けてきた。資金の大半はアメリカのバイデン政権が提供し、23年末の段階で合計2000億ドル（30兆円に近い）にもなっている。

確かにこの戦争によってウクライナの経済はほぼ止まり、主要産業である小麦などの農作物輸出も大幅に落ち込んでしまった。その経済的ダメージのほとんどをアメリカと一部のNATO諸国が肩代わりしているのが現実である。

端的に言うと、戦争以外の国家を運営するためのほぼ全てのウクライナ政府の予算、官僚の給料、その他様々な経費をアメリカが肩代わりして支払っているのが現状だ。

一方、前述したように、欧米諸国や日本などが、ロシアの通貨ルーブルをSWIFTという国際銀行決済システムから外したために、ロシアはほぼ輸出入ができなくなり、これによってロシアの天然資源や食料も干上がってしまうだろうとの予想があった。

だが、現実にはこれも前述したように、中国やインドをはじめ巨大な力を持ち始めたグローバル・サウス諸国、そして「原油や天然ガスなどロシア産エネルギーの輸入を完全にやめる」と言っていたEU諸国も、様々なところからロシア産の原油や天然ガスなどを買い付けてきたのである。

また、欧米側では、ロシアに住むロシア人は経済制裁で食料をはじめとする様々な生活必需品の入手が困難となり物価高と物不足に襲われて、あっという間に生活が困難になると予想していた。

現実はどうなのか。私がまず接したのは、23年春のタッカー・カールソンの番組での、ニューヨークからモスクワに行ったアメリカ人ジャーナリストによる、モスクワ郊外の大きなスーパーマーケットで直接自分の目で見たことに基づいたレポートである。

そのスーパーの棚には、肉、魚、野菜、ワイン、チーズなど様々な食料品がアメリカの巨大スーパーマーケットに負けないぐらい大量に並んでいた。彼はその光景を写真と動画で撮り、食料品の値段をルーブルからドルに換算して、「なんだ。安いじゃないか。ニューヨークにあるコストコよりも全然安い」と言った。

これで私は、欧米のメディア、それを孫引きするだけの日本マスコミが開戦直後から言ってきた「ロシアは追い詰められている。ロシア人の生活はもうどんどん最悪の状態に向かっている」という情報がまるで正しくないことを知った。

さらに私は23年夏から秋にかけて、日本に長く住むロシア人たちからも話を聞いた。彼らは日常的にロシアに住む自分たちの家族、親戚、友人たちとも頻繁に情報のやり取りをしている。

その1人が日本に住んで10年になるポリーナさんだ。このとき、たまたまサンクトペテルブルクから日本に来ていた彼女の母親は、東京のスーパーマーケットに行ったところ、値段を見て驚いたのだと言う。なぜならば、ほぼ全てのスーパーに並ぶ魚類、肉類、野菜類などの値段がロシアよりはるかに高かったからだ。しかもロシアのほうが食料品がはるかに豊富にあるとのことだった。

日本のマスコミの報道とはまるで話が違うではないか。我々はいつものようにプロパガンダ報道に騙され続けてきたのである。

一度崩壊した帝国ロシアを強国にしたプーチンへの強力な支持基盤

日本でもよく言われるようにプーチンの支持率は80％もある。日本のマスコミやワイドショーに登場してくる専門家たちはいつも疑問符をつけながら、この80％というロシア国民の支持率を紹介してきた。

歴史的には、1981年にアメリカ大統領に就任したロナルド・レーガンの対ソ連政策で軍備増強を続けるアメリカにロシアが対抗しようとしたこともあって、ソ連経済は破綻した。89年には東西ドイツのベルリンの壁が崩され、91年にはソ連が崩壊した。ソ連の最高指導者であったゴルバチョフ書記長は敗軍の将となった。

ソ連の後継国家であるロシアの政治指導者にはエリツィンが就任したのだが、大量の酒を飲むアルコール依存症でもあった彼のもと、彼が実権を握った数年間からロシア社会は坂を転げるように崩壊に向かった。

しかし、この暗黒の時代の後に、強いリーダーシップでロシア経済を見事に復活させ、軍備も増強させた最大の功労者がプーチンであった。そのことをロシアの人々はいまだによく覚えていて、強力な指導力でロシアを引っ張っていくプーチンというリーダーは大半のロシア人にとってのヒーローなのである。

私は98年前後から数年間に6回ほどモスクワを訪ねたことがあった。アメリカのメーカーの仕事で訪問したのだが、当時のモスクワは暗く悲惨だった。経済が一気に崩壊し、ロシアの国民は銀行から貯金を引き出すことができないという異常事態に陥っていた。

年金だけで暮らしている老婆たちはルーブルが一気に下落したことで、日々の食料さえ買えないところまで追い込まれており、街では多くの老人たちが物乞いをしていた。

そのような現実を目の当たりにして私は、ロシア帝国は崩壊した、国が破綻するとはこういうことなんだと痛感したものだ。

ロシアには天然ガス、石油、アルミニウム、銅、ニッケル、希少な鉱物など膨大な量の天然資源がある。それらの資源には世界最大級の埋蔵量の鉱山も多い。

しかしソ連崩壊後のロシアは大混乱に陥り、天然資源もバーゲンセールのような状態になってしまった。当時の政権に深く食い込んでいたオリガルヒ（ソ連崩壊後、旧ソ連圏で経済界を支配した新興の富豪）たちが、またソ連時代から高級官僚だった人間たちが、ロシアの大混乱につけ込んで天然資源を根こそぎ自分の財産とした。さらに彼らは、その途方もない価値のある天然資源を、ゴールドマンサックスをはじめとするウォール街や国際金融資本に売り渡して巨額の財を築いていったのだ。

それに対して、99年にエリツィンによって大統領代行として指名されたプーチンはまず、オリガルヒたちを呼び出して、「今後、ロシアの富を外国に売り渡すことは許さない。それに従うのであれば、このままロシアで商売をしてもいいが、従わないならシベリアに送る」という通告をした。オリガルヒの約8割はプーチンに従ったと言われる。反対に従わなかった残りの2割の大半はシベリア送りになったり、国外に逃亡したりしたのである。

プーチンとの面会で映画制作費を引き出した辣腕日本女性プロデューサー

プーチンがKGB出身者であるのは広く知られている。そのプーチンは以下の3つの原則を持っているという。

「交渉相手は殺さない」「約束を守るという約束はしない」「裏切りは許さない」。そんな彼が高校生のときに憧れたのが戦前の日本で暗躍したロシアのスパイであるゾルゲである。

そのゾルゲを描いた連続ドラマが「スパイを愛した女たち リヒャルト・ゾルゲ」(ロシア・ウクライナ・中国合作、2019年)で、2023年2月に日本でも劇場公開された。

この作品の日本放映権を取得したのは日本の独立系の映画プロデューサー、益田祐美子さんである。これまで30本の映画を制作してきたが、プーチンとも3回面会したことがある女性だ。表面上は非常に穏やかな一見普通の主婦に見えるが、プーチン陣営に一歩も退かず交渉を行った強者日本女性である。

彼女のロシアやウクライナに持つヒューマン・ネットワークは素晴らしいものがある。単にマスコミやネット上で得られる情報ではない。彼女の会社の実際にロシアやウクライナでの撮影現場などで仕事をしている人々からの生の情報であるからだ。近年、我々はほぼインターネットで取れる情報を頼りにする傾向がある。私はこれに対しては非常に危惧をしている。実際に生身の人間の行動や感情が全てネット上で取れることがあり得ないのは自明のことだ。私の情報源の多くも、ネットだけでなく、私と直接関わってきた人々からの情報が核をなしている。

過去2冊の著書『「アメリカ」の終わり』と『アメリカの崩壊』も、そのような私自身がこのアメリカで実際に道場で拳を交えた生徒や、長い付き合いの仕事仲間や家族ぐるみの付き合いのアメリカ人たちとの中から上がってきた情報をかなり重要視して書いている。

日本製品の大ファンが多いロシア人

ロシアのウクライナ侵攻で欧米による経済制裁が始まって数カ月経ち、アメリカとNATO

諸国の圧力によって、ロシアに進出していた製造業、飲食業、宿泊業が一度に撤退を始めた。マクドナルドやスターバックス、外資系ホテル・チェーンなどだ。これによりロシア人の生活レベルは一気に低下し暮らしは貧しくなるだろうと、欧米メディアは報道した。

だが、現実はマクドナルドが去ればロシア版のハンバーガー屋ができ、スターバックスがなくなってもロゴだけは似ているロシア版スタバ・コーヒーは飲めるわけだ。

ただしポリーナさんによれば、「ロシア人が非常に悲しいと嘆いたのは、トヨタの工場が閉鎖されて引き揚げてしまったこと」である。なぜならば、トヨタの自動車はロシアでは簡単につくることができず、代替もできない。

代わりに、中国の自動車メーカーが4社ぐらいロシアに食い込んで来ている。中国車は日本車に比べれば、はるかに性能は落ちるけれどもその分値段は安い。

とはいえ、ロシア人の多くも中産階級を中心に日本車の性能の素晴らしさをよく知っているので、日本車に大変愛着を持っている人も多い。しかも、そんなメイド・イン・ジャパン製品への愛着は自動車以外の様々な工業製品にも及んでいる。

私もロシアに直接出張した経験から、ロシア人は基本的に日本製品を信頼し日本人に対して好感を持っていることを知ったのである。

私は当時、アメリカのメーカーの代表として訪問したので、ロシア人の態度はアメリカの会社だと言うと非常に冷たかった。

だが、私が日本人だとわかった途端に、そんなロシア人も態度が良くなることが多かった。

さらに、私が空手をやっていて師範だということがわかると、彼らの目は今度は尊敬の眼差しに変わった。これには、プーチンが政治指導者になる前からロシアでは空手や柔道を非常に愛好する人が多かったことも大きい。

経済制裁を受けたロシアよりインフレで経済悪化する欧米

欧米諸国や日本などが中心となってロシアに経済制裁をしているため、我々はロシア人の生活はものすごく大変になってしまい、インフレによって苦しんでいるのだろうと思っていた。しかし前述したように、ロシアでは食料品が豊富にあり、電気、ガス等の光熱費も依然として安いままなので、ロシアに住む人々の生活は追い詰められているどころか、全く平常通りなのである。

ＥＵの盟主であるドイツは圧倒的な工業力を持ち、ＥＵ内で他国からの経済的負担も全て引き受けることのできる国家である。しかしドイツでは今、あまりに電力代が高くなってしまい、多くの企業が国外脱出をどんどん試みている。ロシアに経済制裁をしたはずのドイツの経済のほうが追い詰められているのだ。ドイツ国民はインフレにも苦しんでいる。それはアメリカも同様である。

ロシアに経済制裁を行った欧米諸国や日本のほうが経済的打撃を受けている現実がある。しかし実は、それは一部のアメリカの経済専門家や軍事専門家が早くから指摘していたことでもある。

ロシアでプーチン批判はできるか

日本ではプーチンは独裁者であり、欧米ではヒトラーに匹敵する残忍な指導者であるということになっている。

確かに我々は、ロシア人の反プーチンのジャーナリストたちがある日突然、失踪したり、殺害されたり、毒を盛られたりするといったニュースに接する。それはたぶん事実かもしれない。だが、実際にロシアに住む人々はどう考えているのか。独裁政権だと思っているのか。

東京に10年ほど住んでいるロシア人のポリーナさんから聞いたことだが、彼女は「ロシアでも、例えばかなり過激にプーチン政権を批判する人は気をつけなくてはいけないだろう」と言うが、ただ「モスクワのテレビ局などでは様々な討論番組があり、そこではプーチンや現在のロシアに対しての厳しい批判もおおっぴらに行われている。だから、ロシアの人々は言論の自由が抑えつけられているとまではけっして考えていない」とも発言している。

逆に自由の国の代表であるアメリカではどうなのか？

バイデン政権誕生後のここ数年、反対派であり共和党でナンバーワンの大統領候補であるトランプと彼の支持者に対して様々な弾圧が加えられている。

民主党は、4回の起訴のほか、いくつかの裁判所はトランプの発言を封じるGAGオーダー（箝口令）を出したりしている。これらは、完全に言論の自由の弾圧だ。かつてのソ連、中国、その他の共産主義独裁国家で極めて頻繁に実施されてきた言論の自由への弾圧がここ数年、アメリカで実際に起きている。となると、アメリカには、ロシアに対して「ロシアは言論の自由がない」とか「プーチンは独裁者だ」とか言う資格が果たしてあるのか。

だから私は、右記のような一般のロシア人たちから得た情報も鑑みて、プーチン支持率8割も、欧米のメディアが言うような全く嘘にまみれて作られた数字だけではないと思わざるを得ないのである。

戦争の最中も普通にロシアに来ている外国人観光客

私のポリーナさんへのもう1つの質問は、「欧米や日本の報道だと、ほぼロシア人には観光ビザが下りず、国外に旅行することもできない。あるいは海外からロシアへ入って来る観光客もほぼいなくなったという話を聞いているが、どうなのか」だった。

彼女の答えは、「確かに欧米の、特にヨーロッパではロシア人だとビザが下りない国々はいくつもある。しかし中国やインド、中東の国々、東南アジアの国々などではビザが下りるので、戦争が始まった後もロシア人の観光客は多い」というものであった。

タイをはじめとする東南アジア諸国は従前からロシア人観光客が多かった。露ウクライナ戦争が始まると、いったんはロシア人観光客は減ったものの、2022年秋からは戦争で一時止まっていた直行便が再開し、再び以前のようにロシア人観光客は増えている。冬の寒いロシアに住むロシア人は暖かい東南アジアを非常に好む。

一方、ロシアを訪れる観光客については、戦争が始まって確かにヨーロッパから来る観光客は減ったようだ。その代わりに中国人の観光客をはじめ欧米の制裁に加わってない国々の観光客は増えている。サンクトペテルブルクなどのロシアを代表する観光地などにはそうした人たちが多く訪れている。

日本の国益はウクライナよりもロシアのほうにある

ロシアがウクライナ侵攻を始めてから、欧米、特にアメリカのホワイトハウス・国務省、NATOの「力による一方的な現状変更を国際社会は絶対に許すことができない」という主張が一貫して伝えられている。

そのもとで「極悪非道なプーチン、突然攻撃されてかわいそうなウクライナのゼレンスキーと国民」という図式による報道をアメリカの主要メディアは朝から晩まで繰り広げ、日本マスコミも追随してきた。

私は基本的に、この戦争を指導してきたアメリカの主張に日本がそのまま同意して同じ経済制裁を行っていくことに大きな疑問を持ってきた。なぜならば、本質は東ヨーロッパの外れにあるウクライナと境界を接するロシアとの国境戦争だからである。

ウクライナはかつてソ連の領土の一部であり、独立したのはソ連が崩壊した1991年の後だ。ウクライナの東側のロシアと国境を接するドネツク州とルガンスク州に住んでいるのはほぼロシア系住民である。ロシアとウクライナという2つの国は長い間、国境をめぐって争ってきた。

この地域における一番の当事国であるヨーロッパ諸国は、冷戦時代はNATOとして団結し、ソ連崩壊後も軍事大国のロシアと対峙してきた。だが、果たしてこの地域に日本の国益はどれほどあるのか。もっと言えば、ウクライナに日本の国益がどのぐらいあるのかを考えなくてはならない。ロシアはウクライナと違って日本のすぐ隣にあり、日露戦争では矛を交えたが、長く歴史的な関係を保ってきた国である。

日本の保守層は露ウクライナ戦争が始まってから、一方的な欧米の「プーチン憎し、ウクライナ・ゼレンスキーかわいそう」という構図を間違いなく支持してきた。ロシアという国の基本的な力の源泉は第1に世界最大のエネルギー産出国であり輸出国であることに根ざしている。日本にとって何より大事なのは、隣にあるこのロシアが膨大な天然資源、特に天然ガスを持っており、すぐにでも日本へ輸出することができる国であるということだ。安倍元首相はプーチンと27回面会した。無論、北方領土返還が面会の最大の目的であったわけだが、日本のマスコミの中には、27回も会っても北方領土は返ってこなかったから安倍さんはまるで無駄なことをした、という人々も多かった。

個人的にも親しくさせていただいている田母神俊雄元航空幕僚長は、「安倍さんは何も北方領土の問題だけでプーチンと会っていたわけではないだろう。日本の国益を考えてロシアが中国と近づくことを牽制するためにもプーチンと27回もの会談を行ったと言える」と話している。

アメリカでもトランプは2016年に大統領に就任してから、プーチンに対して「非常に頭の切れるリーダーである」と極めて好意的なコメントを続けていた。

プーチンもそれに応えて、トランプに好意的なコメントをしていた。しかしアメリカには「反ロシア」というよりロシアを憎む「憎ロシア」の人々がいる。そのような民主党、共和党を問わず長く存在してきたネオコンなどの反ロシアグループは、プーチンとトランプが相手を認める発言をしてきたことを逆手に取って、トランプは大統領に就任してからロシアにアメリカの国益を売り渡しているというストーリーをデッチ上げた。それがニューヨーク・タイムズなどの主要メディアが連日打ち上げてきたロシアゲートである。

トランプ政権は捏造されたロシアゲートに翻弄されたと言っても過言ではない。ただしトランプ政権が発足から3年半経って、その疑惑は事実無根で、大半がヒラリー・クリントン陣営がクリエイトした偽情報によるデッチ上げだったということがわかったのである。

最も重要な国益は経済だけでなく安全保障

ロシアは極東でサハリン1とサハリン2という2つの石油・天然ガス開発プロジェクトを推

進している。ウクライナへの侵攻後、両プロジェクトから欧米企業が撤退した。これに伴ってロシア政府は2022年10月に両プロジェクトの権益を管理する新たな新会社を設立した。このような大きな日本のエネルギーの供給先を決めることになるプロジェクトに対して、日本政府はただただ欧米に追随するだけでなく、独自のエネルギー供給先を確実に日本の国益のために確保することが必須となる。

サハリン1には経済産業省や日本の商社などが出資するサハリン石油ガス開発が権益を持ち、サハリン2にも三井物産と三菱商事が出資しており、まだその権益は細い糸ではあるがつながっているようだ。

日本のエネルギーを安定的に供給できる最も近い国がロシアである。ロシア政府の思惑によってエネルギーを止められるリスクはあるが、日本のように国外に大半のエネルギーを依存しなくてはならない国としては、ロシアを含めて海外とのパイプを多く残す外交を優先させるべきだ。国益とは単にお金だけの問題、つまり経済の問題ではない。私は、最も重要な国益は安全保障であると考えている。

日本にとってロシアを完全に敵に回してしまうのは全く何の利益がないばかりか、むしろ高いリスクにさらされることになるだろう。

何も急にアメリカと手を切ってロシアと仲良くせよという話ではない。経済制裁を欧米と一緒に行うという立場を取ってもいいが、それは日本自身が欧米とは全く違う地政学の立場の国にあることを鑑みて、まず日本の国益を第一に考えての外交をするべきだ。

また、ヨーロッパ諸国の場合、アメリカやイギリスから強要されたロシアのエネルギーの完全な輸入禁止を実質的に破っている国もすでに出てきている。口で言ってきたことと実際にやっていることが違っていたのである。しかし、それは長くヨーロッパ内での戦争をくぐり抜けてきたヨーロッパ外交のしたたかさだと言える。

日本はまるでそうではない。言われたことを「はい」と借りてきた猫同然にそのままやっている現実がある。世界政治から見れば、田舎から出てきた〝おぼこ〟のようなものだ。日本としても自国の国益にかなうものがロシアにいっぱいあることを自覚し、ロシアに対処していく必要がある。

第3章

崩壊が進む日本
――押し寄せるグローバリズムの波

私は1980年にシカゴに向け渡米したのだが、行った目的は2つ。

1つは15歳で始めた空手の修行をシカゴ在住の三浦美幸師範のもとで行うこと。三浦師範は、空手の世界で知らぬ者はいない当時の極真会館シカゴ支部長をされていた師範である。

もう1つはシカゴの大学でジャーナリズムを専攻し、アメリカでジャーナリストになりたいという夢があったからだった。ジャーナリストになる希望は、大学に入り全く無理であるとわかり、諦めた。高校時代の英語の成績が最低最悪の私にはあまりにもハードルが高すぎた。

だが、空手においては、シカゴの道場で6年間、ニューヨークの本部道場で6年間、その後の数十年で4000人近いアメリカ人を指導してきた。生活保護を受けている人から大金持ち、海兵隊員のF16戦闘機パイロット、シカゴ市警、FBI捜査官、ドクター、経営者、サラリーマン、主婦、子供たち、黒人、白人、アジア系、ロシア系、ポーランド系、ユダヤ系と、あらゆる多様なバックグランドを持った人々が稽古にやってくるのがアメリカのKarate Dojoだ。

その多様な宗教、人種、歴史を背負った人々と拳を交え接したことは、その後の私の最大の財産だと考えている。現在、シカゴと東京を往復しながら会社を経営し、最近は世界の反グローバリズムを支援する一般社団法人IFA（International Freedom Alliance）とファウンテン倶楽部という有志の団体をつくり、日本でも活動している。

イリノイ大学シカゴ校では、毎日道場で指導しながら、ジャーナリズムを専攻した。81年のレーガン大統領からブッシュ親子、クリントン、オバマ、トランプ、バイデンと何人も大統領を見てきたが、それら政治家だけでなく、特にアメリカのメディアに興味を払ってアメリカ社会を注視してきた。

80年代のアメリカのメディアは、まだこれほど偏ったプロパガンダ・メディアばかりではなかったように思う。今では親民主党バイデン、反トランプ共和党の代表のようなニューヨーク・タイムズ、3大ネットワークのCBS、ABC、NBCなどもこれほどは偏っていなかったような気がする。特に記者やアンカーマン（ニュースキャスター）の報道姿勢は違っていた。

その当時はまだ現役でベトナム戦争の現場を取材してきた記者たちが何人も残っていて、彼らの主張には戦場をくぐり抜けた記者魂を感じた。なぜか、今の露ウクライナ戦争やイスラエル・ハマス戦争を取材するCNNをはじめとする記者たちには同じように感じることはない。大きな違いは、当時の記者たちは〝局の方針〟には無論従っていただろうが、必ず自分たちの主観を入れ、時の政権の政策にも批判の精神を発揮していたことだ。

だが、現在の米主要メディアは、バイデン民主党政権への不利な事実の報道はほぼ無視し、トランプ共和党への一方的で執拗な攻撃を続けている。そこが一番大きな違いではないだろうか。

この章では数十年日米を往復してきて、さらに2023年、東北をはじめ多くの地方都市を回って改めて気づいた日本の崩壊の現実を、私の視点で切り取って読者に提示してみたいと思う。

1．教育崩壊こそが日本をダメにした元凶

日本には生徒の能力を柔軟に評価する教育システムが必要

日本の２０２２年度の小・中学校における不登校の児童生徒数は約24万人。23年度には約30万人まで急激に増えているというのがこの国の教育現場の現実だ。子供たちは追い詰められている。

私は１９８０年に渡米する前の日本をよく覚えている。あのころの日本人はまだ元気があった。

だが、過去30年、日本の経済は全く伸びていない。日本人の平均年収は30年前の93年は４５２万円だったのに２０２３年には４４３万円まで下がっている。

ＧＤＰ比較では日本は24年1月現在、かろうじてアメリカ、中国に続き第3位だが、個人の所得額では30位まで落ち、シンガポール、あるいは隣の韓国にまで抜かれるところまで来てしまった。

私はその理由の第1として、日本の教育に原因があると考えている。

1970年代までの日本の高度成長を支えたモーレツ社員をつくるときの教育は、それはそれでよかったのかもしれない。だが、この二十数年、世界は大きく変わってしまった。暗記中心の受験勉強の成績上位者だけが優秀な生徒として有名大学に入り、官僚となり、大企業に就職する、ということだけで世界と競争していくには、もはや日本の教育は極めて不完全なシステムであるとしか言いようがない。

後述するが近年のGAFAMと言われるビッグテック企業、さらにテスラの創始者たちは大学のドロップアウト組が多い。

与えられた課題を単に効率よく解くという能力を養成するだけの教育システムは根本的な欠陥を抱えている。それではもはや世界のトップ企業にはとても対抗できない。

学校の教師たちが「お前たち、ここがテストに出るんだからここだけ覚えとけ」というような教育、偏差値偏重の受験システムを維持しているだけでは世界の中で置いてきぼりになる。これも私が長くアメリカから日本を見てきた中で日本の大きな欠点の1つと言える。

生徒自身の持つ想像力や課題を見つけ出す能力など、生徒の能力を柔軟に評価する教育システムが求められている。

日本の教育にも、決まった学科の成績だけで判断する偏差値と内申書というシステムを根本的に見直し、生徒の持つ創造性ややる気を引き出す課外活動を含めた様々なやり方を導入するべきである。

日本の国力が落ちたのも戦後の教育に原因がある

私がアメリカに渡った理由は先にも話したが、日本の教育に大きな疑問と不信感を持ったことも理由だった。戦後の日本の教育に失望したからこそ、クリエイティビティを重視するアメリカの教育にダイレクトに触れたかったのである。

高校時代から、日本の教育はおかしいと思っていた。端的に言えば、学校教育では大学受験に出るいくつかの科目の成績だけで生徒を判断するということをずっと続けてきた。何より重視されるのは偏差値であり教師が勝手につける内申書というシロモノである。相対的に偏差値や内申書の評価が劣っていると、その生徒には〝落ちこぼれ〟という烙印が押される。

戦後の奇跡の高度経済成長は、戦前・戦中の教育を受けた世代の人たちが成し遂げたものだ。世界の市場で勝ち抜いて日本企業の気概を見せたのがソニーでありホンダでありトヨタだった。

戦後は、テストという与えられた問題だけに正解を出す技術を教えるような受験教育が主体になった。言い換えると、自分でいろいろな問題を考えたり見つけ出したり、あるいは想像力や心を養うといったことは一切評価されない教育システムとなったのだ。いわば暗記を中心としたロボット人間を養成するようなものである。

過去30年間、日本人の所得は全く伸びていない。日本の国力は1970年代や80年代よりもはるかに落ちてしまった。その原因はやはり教育ではないかと私は考えている。

アメリカでは90年代からGAFAMと呼ばれる新しいテクノロジーを駆使した企業が出現し、あるいは再成長してきた。それらの企業の例えばマイクロソフトのビル・ゲイツやアップルのスティーブ・ジョブズなどは大学を中退して起業したのだ。クリエイティビティのスケールが大きすぎて既存の大学教育から落ちこぼれ同然だった。一方、そうした世界の人材と戦える人材は日本の学校教育からは生み出されなかった。もう一度言うが、それがここ30年、日本の企業が世界の市場で勝負できなくなった最大の原因だと私は考えている。

現在の日本の経済・教育の状況は極めて深刻である。癌に侵されており、このままでは末期癌までもうすぐのところまで来ている。少子高齢化も大問題だが、まずは教育を大改革し、子供自身の可能性や創造性を引き出すための様々な取り組みを早急に行わなくてはならない。

アメリカの若者の間で増加する「性転換を悔いて」の自殺

現在のアメリカの小中学校の教育現場では、子供への恐ろしい攻撃が起きている。1つは、前述した、日本でも話題になっているＬＧＢＴＱ過激性教育である。それで学校の教師は小学2年生くらいの生徒に「あなたは男の子だけれど、女の子にもなれる。その反対もある」と教えているのだ。

性ホルモンが充分に分泌を開始する前の10歳から12歳くらいの子供たちは、まだ十分に男性ホルモンや女性ホルモンがティーンエイジャーほど出ていないため、男女の区別が曖昧なケースも多々ある。そのときにアメリカでは教師がＬＧＢＴＱ教育を行うと、自分は女の子になってもいいと考える男の子（またはその反対）を増やしてしまうことなる。

しかも、親の承諾なしにその年頃の子供たちに男性ホルモンや女性ホルモンの注射を打つことが許されている州もある。さらに酷いのは、ホルモン注射後の性転換手術も親の承諾なしに受けることのできる州があることだ。これに親たちが抗議をすると、子供をその親から引き離すということも起きている。

そんなことが特に頻繁に起きているのが、ＬＧＢＴＱ過激性教育を推し進める民主党州であるカリフォルニア州だ。

男性ホルモンや女性ホルモンの注射は1度打つと一生打ち続けなければならない。また、１回10万ドル（約１５００万円）の性転換手術も同様である。それらは大手製薬会社の巨大な利益につながっている。

そして、子供のうちに性転換手術をして大人になってから手術を後悔して、元の性に戻りたいと思っても、すでにこの不可逆的手術後にはそれが不可能な状態となる。その彼らはその後精神的に追い詰められ、高い確率で自殺するという現実も、それらの人々を追跡調査した本に述べられている。

我那覇真子さんも驚きのトランスジェンダー母親の現場

フリージャーナリストの我那覇真子さんは、アメリカのＬＧＢＴＱの裏側を取材し、その問題を追及している。彼女はジェイソン・モーガン麗澤大学准教授と共著『ＬＧＢＴの語られざるリアル』（ビジネス社）を出版したのだが、私の会員限定向けの番組内で、鋭い指摘をしてくれた。

性転換手術とは、いわば整形手術にほかならず「転換をした」という錯覚を起こすためだけに使われている言葉である。性転換手術で「性器」を切除したとしても、ＤＮＡなどが変わるわけではない。

例えば男性が女性に性転換する場合は、整形手術で女性の下半身に似せるように作る、つまり医者が手術という名目で人体に穴を開けるということなのだ。人体は傷ができると、自然のメカニズムでそれを修復しようとする。つまり、手術で穴を開けても人体は穴を閉じようとするので、手術が終わった後もその傷を維持するために自分で毎日その穴を開ける作業をする必要があるのだ。

アメリカには、自分の子供がトランスジェンダーだとわかると喜び、初めてホルモン注射を打つ日を祝うなど、病的な親が存在するのだという。そのような親は、自分の息子が性転換手術をした後に、開けた穴を維持するために「自分の息子は女の子になったので、傷を開くという毎日のルーティンを怠らないようにさせている」などと自慢げに語るのだそうだ。

この問題は、深く掘り下げれば病的な人間が医療の名をかたって病的な行為をしているということにほかならず、もはやジェンダーの問題ではないと我那覇さんは指摘する。このジェンダーの問題は、〝男女〟の区別をなくし家族の形を壊すだけではなく、その裏側に医療製薬複合体の闇が潜んでいるということなのだ。

アメリカで広がる批判的人種理論

ＬＧＢＴＱ教育に加えて、もう1つアメリカの教育現場で起きている異常な教育がある。これは前の章でも触れた「批判的人種理論」という新たな人種差別理論による教育だ。この理論は、1776年をアメリカの建国の起源とは認めず、アフリカから白人が黒人奴隷を連れてきた1619年をアメリカの起源とする、というニューヨーク・タイムズが提唱した「1619プロジェクト」に起源がある。

それで学校教育の現場では、白人生徒には「あなたの先祖である白人は、過去にアフリカから黒人奴隷を連れてきた。白人は加害者なのだ」、黒人生徒には「あなたは白人によってアフリカから奴隷として連れてこられた黒人の子孫なので犠牲者だ」という教育をしている。「白人＝加害者、黒人＝被害者」なのである。

要するに、肌の色が白か黒かによってその子供たちを加害者と被害者に分断する、極めて悪質な人種差別教育にほかならない。これは北朝鮮で現在も行われている、身内や先祖に脱北者がいることで子供や孫も刑務所に入れられ犯罪者として扱われるということと全く一緒だ。

子供に対してLGBTQ教育と批判的人種理論という2つの異常な教育がアメリカの学校現場で行われていることに反対して、全米で子供たちの両親、特に母親たちが団結して立ち上がっている。

詳細は、先に紹介したCPACでのアリー・レッグさんへのインタビューの通りである。

私がアリーさんにワシントンでインタビューした動画を見て、日本でも東京や神奈川の母親たちが立ち上がり、同様の団体「子供たちの未来を繋ぐお母さん連合会」という組織を立ち上げた。子供たちへの異常なＬＧＢＴＱ教育を学校現場に持ち込ませないため、地方議員への働きかけも始めている。

私は、最後に子供の命を守れるのは母親だ、と考えている。母親グマは子グマを守るために命をかけて戦う。アメリカの母親たちは自らをママベア（母親グマ）と名乗り、子供を守る活動を始めたのである。２０２２年から私が応援してきた参政党の大勢の母親メンバーたちも、多くの問題を抱えている学校教育だけに子供を任せてはおけない、と立ち上がり行動を始めたのを知り、大変心強く感じている。

日本でもアメリカでも、子供を守るために母親たちは命がけで立ち上がっている。

2. 再生エネルギーの闇に潜む利権構造

「巨大風力発電は環境破壊」——たった一人で始めた闘いが生んだもの

２０２２年秋、私の故郷である青森市の八甲田山に風力発電のため１５０基もの風車が建設されるという計画が持ち上がっていた。そのとき、林野庁から青森県庁に来て青森の山を回っていた青年、木村淳司さんは「この計画は地中深く基礎を掘るため、大量のコンクリートが使われる。また、巨大風車資材を運ぶための運搬路を建設することによって、八甲田山の水脈が変わる恐れがあり、青森市に流れ込む地下水に汚染の危険がある」と懸念したのである。

私は個人的には八甲田山から流れる青森市内の水道水は世界一おいしい水であると考えている。この世界一の水道水が汚染される可能性があるという風力発電プロジェクトに反対の声を上げた木村さんは、参政党から22年10月の青森市議会選挙に立候補した。それを知って、私は何としても木村さんを市議会に送り込みたいと、Ｚｏｏｍでシカゴと青森を結んで、風力発電プロジェクトへの反対を全国の人々に発信した。

この動画はあっという間に1万回以上の再生回数となり、八甲田山の水の汚染に反対する全国の人々が多くの支援コメントを寄せてくれた。

木村さんは山のプロとして詳細な調査を行い、八甲田山の水が汚染された場合、豊かな漁場を持つ陸奥湾の水質にも悪影響を与える可能性があることも指摘した。

それまでは青森市議会も青森市民もこの事実を知らず、業者任せだった。だが、木村さんが市議会選挙に当選したことで市議会は白紙撤回に転じ、当時の青森市長や青森県知事も白紙撤回へと意見を変えた。

さらに、23年6月の選挙で新しく就任した西秀記青森市長と宮下宗一郎青森県知事ともに、白紙撤回の意思を表明した。

そして、同年10月10日に事業者であるユーラスエナジーホールディングスも八甲田山の風力発電の白紙撤回に追い込まれたのだった。

青森ではたった1人の強い意志を持った議員が誕生したことにより、流れを大きく変えることが起きたのだ。たった1人でもできることがあるという良い見本だろう。

国民から強制徴収した再エネ賦課金が利権を呼び込む

アメリカに長く暮らしているが、2023年これほど電気代や光熱費が一気に値上がりした年は記憶にない。23年の電気代は前年比で約2倍になっていたのだ。だが、日本の人たちに聞いてもみんな同じことを言っていた。電気光熱費は、暑い夏と寒い冬を持つ地域では使わないわけにはいかず、生活にかかる最低限の必要不可欠のコストだ。だが、この資源の乏しい国日本で、国際的にもエネルギーの長期安全調達を政府はどのくらい万全の対策で行ってきたのかと言えば、まるでそうではないだろう。

経済安全保障アナリストの平井宏治氏によると、青森県には大規模な洋上風力発電所計画があり、風車から発する低周波による健康被害の懸念がある。ヨーロッパでは大陸棚が広がり水深が浅いので、陸地から遠く離れた洋上に風力発電所を設置するようになってきた。しかし、日本は海底の地形が急峻なので、住宅地に近い沿岸部や港湾での風力発電導入が進んでいる。

風力発電事業者は住民説明会などで風車による被害はさほど存在しないと説明し、甘い騒音想定を行っているが、「これはあくまでシミュレーションだから、気をつけるべきだ」と平井氏は語る。

さらに平井氏は、自由民主党の再生可能エネルギー普及拡大議員連盟（再エネ議連）とその業者の癒着も指摘する。自民党の秋本真利衆議院議員の収賄疑惑による逮捕も記憶に新しいところである。

NHKの報道によると、日本風力開発は第2ラウンドとして公募された秋田県沖の別の海域で行うプロジェクトへの参入も目指していた。

一方、第1ラウンドの結果を知った秋本議員は、すでに公募が始まっていた第2ラウンドについて入札の評価基準を見直したうえで手続きをやり直すよう国会で繰り返し求め、かつ国会で日本風力開発が有利になるような質問もしていた。こうした再エネの闇はまだ氷山の一角であると言っても過言ではないだろう。

また、山形新聞の社説には、山形県鶴岡市で市民が知らない間に進んでいた風力発電事業について鶴岡市が業者側に計画中止を求めているという記事が掲載された（2023年10月2日）。計画地域は「絶滅危惧IB類」に指定されているクマタカや自然環境への影響が懸念される場所でラムサール条約登録湿地に隣接している。それも計画中止を求めた理由の1つである。

統計によれば、日本の風力発電導入量は22年12月時点で480万キロワットだったが、そのうち東北は182万キロワットと「突出」しており、ついで九州63万キロワット、北海道51万キロワットとなっている。東北は食料も人もエネルギーも中央に供給して貢献してきた。にもかかわらず、ほぼその恩恵を受けていないと言える。

こうした風力発電計画などの再エネ利権の原資はどこから来ているのか。それは、電気料金に勝手に上乗せされて強制徴収されている「再エネ賦課金」からである。「今はまだコストの高い再生可能エネルギーの導入を支える」というお題目のもとで全ての国民は、「自分たちが使用した電気（ｋＷｈ）×１・４０円／ｋＷｈ」（２０２３年）もの料金を別に徴収されているのだ。

このように再生可能エネルギーの美名のもとにとんでもないことが行われているというのが、残念ながら今の日本の現状なのである。

風力発電は自然を破壊し非効率で、クリーンエネルギーとは無縁

青森市で計画されていた「みちのく風力発電事業」は東京ドームの３７００個分という広大な地域に最大１５０基の風車を建てるというものだった。これは世界遺産の白神山地とも並ぶ八甲田山系のブナ林を伐採するという国内最大級の事業だったのだが、地元住民の大反対が起き、白紙撤回が発表された。八甲田山にある樹齢２００～３００年のブナの木は伐採すると現況回復までに数百年かかると言われている。

岩手県の達増拓也知事も県内の風力発電事業に反対を表明している。盛岡市では、盛岡市葛巻町岩泉町にまたがる風車計画に関しても、事業区内にある絶滅危惧種であるイヌワシの行動域が含まれていると撤退を申し入れた。さらに宮古市にある70基の風車計画も、住民側から反対の声が出ているという。

東北ではすでにいくつもの風力発電が建設されており、洋上風力なら良いだろうということで、日本海側を中心に多くの風力発電計画が進んでいる。

大間のマグロで有名な津軽半島日本海沖などでも洋上風力の計画がある。ただ、この地域は大間マグロの漁場として知られているため、反対の声が特に大きいという。マグロだけでなく、洋上に立つ風車は青森で獲れるイカなどにも影響を与えると言われている。これは環境破壊以外の何ものでもないと思う。

また現在、秋田県でも９００基を超える洋上風車の建設計画が進んでいる。青森・秋田・岩手の北東北に風車を４０００基建てる予定があるというが、その総発電量は原子力発電所１カ所分にしかならないと言われている。これだけ環境に負荷をかけて風車をつくっても、１基あたりの発電量は少ないため、電気を確保するためにはとんでもない数の風車の建設が必要になる。反面、全体として環境に与えるダメージは計り知れない。

風力発電にはクリーンエネルギーというイメージがあるものの、実態がそれとは程遠いことは火を見るよりも明らかである。

気候変動対策では先進国と途上国で大きな差がある

先日、経産省で日本政府の代表としてCOP20などで長く交渉官を務めた東京大学公共政策大学院特任教授の有馬純先生からエネルギー地政学についての話を聞いた。それは以下の通りである。

現在再エネに関しては非常に多くの複雑に絡み合った問題点が指摘されている。間違いなく世界は脱炭素がトレンドであり、2021年11月のCOP26でのグラスゴー気候合意では、地球温暖化に対して1・5度の上昇に抑えることが国際的コンセンサスとなった。そのためには2030年までに全世界のCO_2排出量を2010年に比べて45%削減しなければならないとされている。

先進国はヨーロッパ中心に「脱炭素をどんどんやります」と言い、日本はバカ正直にその通りに削減を進めている。だが、現実的には中国やインドという炭素排出量の非常に大きな国が「まだまだ石炭、石油といったエネルギーに頼っているので、減らすわけにいかない」と主張し、特にインドが強く抵抗している。

しかし実はこの1・5度を目標にするのはほぼ無理だとわかっているのだ。30年までにCO_2排出量45％削減を達成するためには、19年から20年の5・8％マイナスを上回る7・3％マイナスにしなければならない。つまり、削減幅を22年から30年まで毎年続ける必要があって、どう考えてもその実行はほぼ不可能である。

23年5月のG7広島サミットでも、25年までには世界全体のCO_2排出量をピークアウトさせて30年には43％削減、35年には60％削減することを強調した。50年までのネットゼロ（実質ゼロ）目標に合意していない主要経済国に対してもその目標へのコミットを要請した。だが、これも現実離れしていると言わざるを得ない。

また、国連のSDGsにおけるプライオリティも各国によって全然違う。気候変動対策ではスウェーデンは優先順位1位だが、インドネシアは9位、中国は15位にすぎない。ちなみに日本では3位である。

そもそも気候変動対策については先進国と途上国ではかなりの温度差がある。先進国では気温上昇を1・5度以下に抑えるのが最優先の議論となっている。それは「脱炭素化イコールエネルギー安全保障」という考え方のもとで、脱炭素化こそ脱化石エネルギーになるというものである。

ところが、途上国ではエネルギー安全保障のほうが最優先で、エネルギーコストを上昇させたり成長を阻害したりしない範囲での脱炭素化という考え方をしている。先進国とはまるで認識が違う。ロシアやサウジアラビアなどの資源国も先進国主導の脱化石エネルギーに対して不信感を持っている。それでサウジはバイデンの石油増産要請にも冷たい態度をとった。中東ではアメリカの影響力が衰え、中国の影響力が増大している。中国は特にサウジやイランとの関係を強めている。エネルギー転換に時間を要する多くの途上国も、そうした資源国との関係を重視するようになっている。

温暖化防止によって一気に複雑になったエネルギー地政学

CO_2排出量目標を達成するためには、クリーンエネルギー技術を急速に導入しなければならない。となるとクリーンエネルギー技術用の重要鉱物の需要も急増していく。重要鉱物とは主に銅、リチウム、ニッケル、マンガン、コバルト、黒鉛、クロム、モリブデン、アース、シリコンなどである。

重要鉱物の需要は、ＥＶ関連を中心に２０４０年までに少なくとも4倍に拡大するだろうと言われている。再エネを目標値まで増やす場合には、２０２０年に比べて40年にはリチウムが42倍に、黒鉛が25倍に、コバルトが21倍に生産拡大をする必要がある。さらにニッケルを19％、レアアースも7％増やす必要がある。

また、重要鉱物ではその生産と精錬の場所が地理的に大きく偏在している。生産のシェアでは銅はチリが約30％、ニッケルはインドネシアが約30％、コバルトはコンゴが約70％、レアアースは中国が約60％だ。リチウムはオーストラリアが50％を超えている。

一方、精錬のシェアでは圧倒的に中国が強い。ニッケルで約40％、コバルトで約60％、リチウムで約60％、レアアースに至っては約90％を中国が占めている。

クリーンエネルギーへの転換による重要鉱物の世界的な需要拡大の中で生産・精錬国では特に中国依存が高くなっていて、新たなエネルギー経済安全保障の問題が起きている。温暖化防止とエネルギー経済安全保障との同時達成はより複雑化しているのである。

エネルギー経済安全保障という点では、露ウクライナ戦争のためにエネルギー大国ロシアのエネルギー輸出の減少が起こった。これは西欧諸国からのロシアへの厳しい経済制裁が原因だ。同時にロシアによる報復という事態も出てきて、ロシア産エネルギーへの依存度が特に高いヨーロッパは直接大きな打撃を受けた。加えて世界経済の下振れリスクとスタグフレーションの懸念も生まれた。

米露による第2の冷戦による世界の分断は、世界のエネルギー貿易のフローにも大きな影響を与えたため、安全保障がトップ・プライオリティになってきた。その状況は1970年代の石油危機のときよりもさらに複雑で深刻である。

なぜならば70年代の石油危機は石油安定供給だけが課題であり、温暖化防止の制約は不在だったからだ。石油を代替する有力な方法には原子力と石炭の活用があった。また、ソ連圏は西側経済圏から分断されていたものの、冷戦下でもソ連のエネルギー供給は継続されたし中国の脅威もなかった。

しかし今回は温暖化防止という大きな制約要因が存在する。そのうえ露ウクライナ戦争によって地政学の情勢が一変した。西側民主国家とロシアや中国のような権威主義国家によって世界がはっきりと分かれてしまったからだ。有数の資源国ロシアと経済大国中国はアメリカ主導の国際秩序を変更させるという点では利害が一致している。経済のグローバル化によって両陣営の分断の影響もさらに大きくなっている。

日本の原発の活用に必要なのは強い政治的リーダーシップ

日本の温暖化対策目標の「２０５０年のカーボンニュートラル達成（温室効果ガスの排出を全体としてゼロとする）」は絵に描いた餅である。それは高コストの温暖化対策であって、ただでさえ高い日本のエネルギーコストをさらに引き上げ、製造業の海外移転、経済雇用への悪影響を招く。

重要鉱物、太陽光パネル、風車、蓄電池などでは中国の支配力が非常に強い。それらの中国依存が拡大することは日本の経済安全保障にとって大きなマイナスとなる。

それに、日本のエネルギー自給率は驚くべきことに11％しかない。石油と石炭は０％、天然ガスは３％だ。ちなみにアメリカはエネルギー自給率が１０６％もあり、石油１０３％、天然ガス１１０％、石炭１１５％となっている。

もちろん再エネの主力電源化は重要だが、日本での国産再エネ技術の推進はコストとのバランスに留意する必要がある。エネルギー負担総額の増大を回避しつつ、カーボンプライシング（排出するCO_2に価格をつけて排出者の行動を変化させる手法）を段階的に導入していく方向性が現実的だ。

アジア地域への普及も視野に入れた革新的技術開発も非常に重要になる。原発の再稼働や新増設など国産の原発の活用のためには、強い政治的リーダーシップが求められる。

今後のエネルギーコストについては、主要貿易相手国、特にアジア太平洋地域との国際比較を定期的にレビューし、日本に不均衡に高いコスト負担がかかるのを回避すべきであろう。

3．食料自給率の低い日本を狙うグローバリスト企業

なぜ日本の食料自給率が低くなってしまったのか

皆さんは、日本の食料の自給についてどう考えるだろうか？

私は長くアメリカに住んできたが、アメリカは豊富な肉、野菜、小麦、大豆などの巨大生産国であるので、アメリカには自給率の心配をする人はほぼいない。しかし、日本は全く逆の立場だということにどのくらいの人が気づいているのだろうか。

以下は、東京大学大学院農学生命科学研究科教授の鈴木宣弘先生監修による『マンガでわかる 日本の食の危機』（方丈社、２０２３年）からの引用を元にしている。

食料自給率とは、食料の国内消費に対する国内生産の割合を示したものだ。国全体で見たときに我々が消費した食料のうち国産がどれくらいかを表す。日本の現在の食料自給率はカロリーベースで38％、生産額ベースで63％となっている。

日本人の食卓は、戦前の米食・魚食中心から戦後には小麦食・肉食中心へと変わった。しかしこれは、自然にそうなったのではない。

まず戦争で日本の男子が２３０万人も死んだため、戦後には農業生産率が落ち、国力も低下した。同時に、戦争孤児や欠食児童も増えた。そこでＧＨＱはガリオア資金を使って日本に食糧援助をすることにした。

ガリオア資金はアメリカが西ドイツ、オーストリア、イタリア、日本の占領地と南朝鮮に行った援助の基金で、これを用いて飢餓、疾病、不安防止に必要な消費物資が供給された。日本に対しては主に食糧援助に向けられ、これで占領期の日本は、小麦、小麦粉、とうもろこし、大豆粉など輸入食糧の大部分をアメリカから購入した。

だが、アメリカの立場からすると、それは日本を自国の余剰な農作物の処分場にするために日本の小麦・大豆・とうもろこしの自給力を落とさせる政策となる。日本が永遠に農産物の輸入をアメリカに依存する仕組みがつくられたのであり、日本人をアメリカ産の農作物なしには生活できないようにする政策だった。

だから、日本人の食卓が米食・魚食中心から小麦食・肉食中心になったのはアメリカの占領政策のせいなのである。

以上と同じスキームなのが、２０２２年4月の「改正種苗法の施行」と18年4月の「種子法の廃止」だ。

種苗法は農作物の品種を育成者の許可なく栽培・増殖させないための法律で、特定の品種を健全な形で栽培・流通させることを目的としている。

種子法は農作物の原種（種子の親種）や原原種（原種の親種）などの生産を全ての都道府県に義務付け、品質の良い種子の生産や普及を図るものだった。これで各都道府県では高品質なブランド米の開発、提供が積極的に行われてきたのである。

ところが、改正種苗法の施行と種子法の廃止によって、国や県の公共の種をやめさせる、国や県が開発した種を企業に譲渡させる、無断での種の自家採種を禁止する、ということになってしまった。

その結果、農産物の種採りの圃場（ほじょう）が日本からアメリカなど海外に移ってしまう可能性が非常に高くなったのだ。種を海外に握られれば、日本の農業の身動きも取れなくなり、日本は食い物にされるのである。

多国籍企業が国家の資産を収奪する仕組み

多国籍企業（グローバリスト企業）は自由競争が最も公平であると主張している。だから市場原理主義を掲げているのだが、これは強いものだけが勝ち続ける公平ではないシステムだ。現実の社会ではそのもとで強い価格支配力を持つ勢力のみが勝利できる。

地方の大規模店舗と古い商店を比較するとよくわかる。

力のある大規模店舗は、古い商店街のすぐ近くに進出すると、意図的に商品価格を大幅に下げて販売する。それによって大規模店舗にのみ客が集まり、古い商店街の小売店の経営は成り立たなくなる。同様に全国の駅前にある商店街はシャッター街化してしまう。小売店が潰れて競争相手がいなくなった後、大規模大型店舗は値段を上げていくのである。

国境を越えてグローバルな利益を求める巨大多国籍企業も、巨額の資金を使って一国の政治・行政・メディア・研究者などを動かし規制緩和を行わせる。それで開いた市場に乗り込んで自らの利益をさらに増やす。こうして巨大多国籍企業による寡占化が進み、国家の私物化も進んでいくのだ。

グローバル資本に操られた勢力は、農協は既得権益の塊だとして「農協は生産者も消費者も苦しめている。だから解体して会社組織にすべきだ」と主張している。グローバル資本の目的は農協のＪＡバンクとＪＡ共済が持っている巨額の金融資産である。

ＪＡバンク・ＪＡ共済が運用しているのは合計１５５兆円。これを奪うのが彼らの目的だ。アメリカ金融保険業界は、３５０兆円の資金を運用していた日本の郵貯マネーを我が物にするために小泉政権に強引に郵政民営化を進めさせた。その結果、日本の郵便局に米最大手ガン保険会社アフラックの委託販売をさせることに成功した。今度は日本政府に農協からのＪＡバンクとＪＡ共済の事業分離を迫っているのである。

もはや日本の市場は、世界の市場で行き場を失った商品の最終処分場

このように、食料自給率が１００％に達していないのだから、まず日本の農業は量の面で問題がある。

しかし農業だけでなく酪農も危ない。

ＥＵでは成長促進剤としてのホルモンの使用が禁止されており、成長ホルモンを投与した牛から生産された牛肉の輸入も１９８９年から禁止されていることをご存じだろうか。

それについてアメリカ側は「成長ホルモン使用の肉を輸入しないのはＷＴＯ協定違反である」としてＷＴＯに提訴した。それは経済紛争に発展し、ＥＵ側が敗訴した。しかし、それでもＥＵはアメリカからの成長ホルモン使用牛肉の輸入を認めなかったため、最終的にアメリカはホルモン不使用の牛肉をＥＵ向けに輸出することになった。

日本でも現状、この成長ホルモンの使用は認められていないものの、輸入肉に関しては「検

査している」から安全だというロジックで、多くの成長ホルモン使用牛肉が輸入されているという。

アメリカやEUでは今や「ホルモンフリー（ホルモン不使用）」の牛肉が、ウォルマートなどの大手スーパーでも売られている。しかし、日本ではそもそも成長ホルモンのことが知らされていないというのが現状だ。

世界的に禁止されている発がん性の成長ホルモンを使用した牛肉が、日本では多く輸入され、安くスーパーで売られている。

2020年には、牛肉の関税が下がり牛肉の値段が下がったので、安い外国産牛肉に日本人が飛びついた、という結果になってしまった。

日本の市場は、世界の市場で行き場を失った商品の最終処分場としてのターゲットになってしまっている。

「国が管理・検査しているから大丈夫」などという幻想は捨てて、まず知識を持って食の安全を守ることが必要である。

日本に昆虫食を売り込み、食料危機をつくりたい連中

地球の人口は目下、80億人を超えてなお増え続けている。そして、食料危機が確実に訪れると予想して「効率よく生産できるコオロギ食がＳＤＧｓ的にも正しい」と言う人が出てきた。しかし、「食料危機の半分は計画されたものだ」と東京大学大学院の鈴木宣弘教授は語っている。つまり、日本は農業自給率が非常に低いにもかかわらず、国が自給率を上げるためのまともな対応をせず、日本の農業を守ろうとはしていない。だから、世界中で食料危機をつくりたがっている連中は日本にも昆虫食をはじめＧＭＯ（遺伝子組み換え作物）、人工卵、ゲノム編集食品などの工業的商品を新たに売り込みたいのだ。

マイクロソフトの創業者ビル・ゲイツは２０１２年に、ある昆虫食企業に対し昆虫食を使って栄養価の高い食品を開発するようにと資本提供を行った。さらにゲイツは同じ目的で、21年には別の昆虫食企業に２２５万ドル以上を、国連ＦＡＯ（国連食糧農業機関）にも１１００万ドルを超える資金をそれぞれ提供した。

ゲイツはアメリカ最大の農地所有者でもあり、アメリカ国内の18州に農地を持っている。アメリカの農地を買収しまくってデジタル農業化を推進しているのだ。

ゲイツのような人々は、「食料生産に農家はいらない。AI、センサー、ロボット、ドローンによって最も効率よく管理して食料をつくるべきだ」と主張している。そのような工場農業では、遺伝子組み換え技術も成長ホルモン剤もどんどん使われるのである。

だが、日本人は古来、木の根、虫、ナマコなど多様なものを食べてきた。それでも日本人にはコオロギを食べる習慣はなかったのである。というのも、漢方医学大辞典にあるように、コオロギには微毒があり、特に妊婦が食べるのは禁忌とされていたからだ。コオロギは雑食で共食いもするし、100度以上に熱しても死なない細菌を持っている場合もあると言われている。

むしろ、わかめや海苔などの海藻を食べてきちんと消化し栄養を摂ることができるのは日本人など少数の民族だけなのだ。民族によって食べられる物が違ってくるのは最近では、各民族が数万年単位の長い歴史の中で培ってきた食文化によって築き上げられた腸内細菌の違いに由来するものだと考えられるようになってきている。

日本の食文化を食料危機を煽る連中に破壊されてはならない。

放射線照射をして売り出す「あきたこまちR」の問題点

私は、2023年の夏から毎月東北6県を回って様々な職業の人々と話をしているのだが、秋田市を訪れたときに、秋田の誇るブランド米〝あきたこまち〟に放射線を照射した「あきたこまちR」という米を開発し販売するということに、地元の人たちが大きな懸念を持っていることを知り驚いた。

23年春、秋田県は従来の「あきたこまち」の種子生産を25年までに止め、土の中のカドミウムをほとんど吸収しない「あきたこまちR」に全面的に切り替えると発表した。

あきたこまちRとは、在来米「あきたこまち」に放射線照射をし、遺伝子操作した低カドミウム米である。カドミウム吸収抑制は米生産者にとっては非常に重い負担であり、このカドミウムを吸収しない新種は画期的であると言われる。

だが、安全の保証がまだないので、反対する人たちも秋田を中心に増えていて、秋田県議会には反対意見が多く寄せられている。

反対意見は例えば、日本人にとって一番大切な食べ物である米を放射線で突然変異させると、「今後人体にどのような影響を及ぼすのか全く不明で100%安全とは言い切れない」ことを懸念したもので、従来の「あきたこまち」を食べたいという人が多い現実がある。

あるいは、そもそもカドミウム汚染水田は全体の2~3%であるのに、なぜ秋田県全体で「あきたこまちR」に切り替える必要があるのかも疑問である。

こうした反対意見はSNSなどにも出ている。しかし「あきたこまちR」が安全かどうかを検証するのは当然だとしても、私は問題の本質は別のところにあると考えている。つまり、なぜ長年かけて築き上げてきた日本屈指のブランド米である「あきたこまち」の全面切り替えを行う必要があるのかということだ。

しかも、秋田県は「あきたこまちR」を「あきたこまち」として同一の名称で販売する方針だ。これについて秋田県側は「『あきたこまちR』は『あきたこまち』と特性や形質・品質が同等の品種であり、消費者に対してより安全性を高める取り組みと認識している。必要な情報については、県のホームページで周知していく予定である」と説明している。

だが、「全く同じ」ではないものを同じ名称にするのは情報の隠蔽につながるのではないだろうか。となると、消費者に放射線育種米だと知らせずに販売するのと同じことではないか。

品種改良は今までも行われてきたし、それ自体が悪いことではない。けれども、今回の秋田県のやり方は、生産者のつくる自由、消費者の選ぶ自由を無視していると言わざるを得ない。

全面切り替えではなく部分切り替えにして、「あきたこまち」と「あきたこまちR」を別品種として別名称で流通させるべきだ。そのうえで消費者が自分で「あきたこまち」か「あきたこまちR」を選べばいい。名称を同じにするとそれができない。

我々は、食の安全を自分たちで選択する自由まで奪われつつあるのかもしれない。

水不足の中国の企業が日本の豊かな水資源を狙っている

日本は古来から瑞穂の国と言われてきた。瑞穂はコメを指している。豊かな水がなくてはコメは実らない。

日本は国土の7割が山岳地帯で、世界のどの国と比べても比較にならないほどの豊かな水資源を持っている。全国津々浦々を川が流れて豊かな水資源があるからこそ台風などが来て川が氾濫することも少なくない。その甚大な被害もたびたび起こっている。為政者たちにとっては昔も今も治水や水害対策は統治のための非常に重要な仕事だ。

中国の国土は広大で山岳地帯も多いが、歴代の王朝が進めてきた乱開発で多くの山の森林が伐採されてしまい、木のない禿山が数多く生まれた。山に木があり森があるから保水ができ、生態系も維持できるのだ。

中国では乱開発によって保水ができなくなり、水資源が不足して生態系にも大きな影響が出ている。つまり、中国は水の絶対量が不足していること自体が国家的危機を招きかねなくなっている。そうした背景の中で中国政府は、近隣の国の豊かな水資源を持つ国を狙い、水資源のある土地を狙っているのだ。

日本の場合、近年、広大な土地を持つ北海道、中でもニセコ近辺の土地など豊富な山岳の森林地帯を持つ土地が、中国企業もしくはバックに中国企業がいると推定される日本企業にどんどんと売却されていると言われている。

日本の水資源を中国企業の意のままにされてはならないから、水資源を守る国の法律あるいは地方自治体の条例をきちんと整備すべきである。

グローバル企業による「みやぎ型管理運営方式」の安保上の懸念

世界には水メジャーと呼ばれる水のグローバル企業がある。その1つ、フランス企業のヴェオリアグループは日本の水市場は宝の山だとして狙ってきた。エコノミスト・オンラインによると、日本の水消費市場は次の3つの理由で宝の山なのである。

①水道料収入が日本全体で年間2兆3000億円と巨大。

②漏水率が全国平均7％以下（東南アジアでは漏水率30～40％）なので漏水対策が他国に比べ非常に少なくて済む。

③99・9％という他国には見られない水道料金の回収率の高さ。

折から宮城県は通称「みやぎ型管理運営方式」の採用を表明した。これは、宮城県が所有する上下水道と工業用水の運営権を一括して20年間、民間企業に売却する全国初の取り組みだ。宮城県の水道給水人口が約189万人、下水道処理対象人口が約73万人だから国内では過去類例を見ない規模で行われる。

ヴェオリアは2021年5月に「みやぎ型管理運営方式」を運営する企業「みずむすびマネジメントみやぎ」を構成する企業（10社）の1つに加わった。

同年7月5日には宮城県の定例県議会で水道のコストを約337億円削減できるということから「みやぎ型管理運営方式」の導入が可決された。そしてこの方式による事業が22年4月1日から開始されたのである。

つまり、長く続いてきた水道という公共財の最も重要な人々の生活の根幹をなす部門が、一部とはいえ外国企業に任されることになった。私はそこに、安全保障上の大きなリスクがあると考える。単にコストの問題だけでは済まされないのである。

参政党宮城県連会長のローレンス綾子さんは、「みずむすびサービスみやぎ」の議決権株式の51％をヴェオリアが所有していることを問題視し、「今後の水道事業の運営方針が外資によって左右されてしまう。安全保障の観点からも経済面からも大問題だ」と警鐘を鳴らしている。

料金が跳ね上がったシカゴ市のパーキングメーター民営化

私はアメリカのシカゴ郊外に長く住んできた。今でもシカゴ市内には数多くの友人や空手の弟子がいる。現在の駐日アメリカ大使のラーム・エマニュエルは2011年から19年までシカゴ市長を務めていた。彼の前任者のデイリー市長が行ったパーキングメーター民営化の話を紹介したい。

シカゴ市はアメリカ各地の大都市と同様に数十年、毎年巨額の赤字を計上していた。このシカゴの巨額赤字に対応する方策の1つは、市の所有する路上のパーキングメーター事業の民営化だった。当時のシカゴのリチャード・M・デイリー市長が、モーガン・スタンレーを中心とする投資先にこの市の事業を売却したのだった。

路上のあちこちに置かれていたパーキングメーターはシカゴ市の所有物だったから運営・管理もシカゴ市が行っていた。けれども、パーキングメーターは古くて操作性も悪くコインでしか使えないものも多かった。

ただ、新しいメーターに置き換えるとこうした問題は軽減されるが、置き換えには非常にお金がかかる。巨額の赤字を抱えるシカゴ市にはそれが難しかったのは確かだ。

だから市長は、パーキングメーターを民間企業に売却することにしたのだった。民営化である。その前には、駐車料金の値上がりを懸念する人たちもいたのだが、シカゴ市は「それほど値上がりしない」と住民に説明していた。

ところが、民営化後には駐車料金が民営化前の何倍にも跳ね上がったのだ。つまり、民営化前には行政はおいしい話をするものの、民営化後には住民の負担が大きく増えたり、不便になったりすることがよく起きる。このシカゴ市のパーキングメーターの民営化はその典型的な例である。

住民も政治家も〝民営化のおいしい話〟に騙されてはいけない。

郵政民営化を喜ぶ国際金融資本のハゲタカ金融機関

外資系企業は民営化の美名のもと、おいしいところだけを買収して利益を上げる。良い例は先にも触れた郵政民営化だろう。

小泉政権時に「郵政民営化に賛成か反対か」という掛け声のもと、自民党内の分断を図り郵政民営化に反対する議員たちをことごとく追い出した。

郵便局には、郵便事業だけでなく貯金という大きな役割がある。これは欧州を中心に発達したシステムだが、小泉政権は「官から民」は全て良しとの掛け声で、〝経済効率化〟と将来の〝収益力向上〟という理由で民営化を図ることにしたのだ。

それでまず２００６年１月に、民営化後の持株会社となる準備企画会社として「日本郵政」が設立された。次に同年９月、民営化後の「ゆうちょ銀行」「かんぽ生命保険」となる準備会社として「ゆうちょ」と「かんぽ」が設立された。

そして07年10月に「郵便局」「郵便事業」が設立されると同時に「ゆうちょ銀行」「かんぽ生命保険」と一緒に持ち株会社である日本郵政の傘下に入って郵政民営化が行われた。

現在、日本郵政は増田寛也氏が社長である。建設省の官僚から岩手県知事に転じ、さらに総務大臣を経て現職になった。この増田社長は23年5月、日本経済新聞のインタビューで、40年ごろをめどに約2万4000カ所ある郵便局の整理が必要になると述べたのである。

これは政界をはじめ各方面から大きな反発を浴びたため、「誤解を与えた」として増田社長は火消しに追われたものの、実際に郵便局の整理を目指しているのは間違いない。

私は、日本郵政公社の常務理事時代に小泉政権の郵政民営化に断固反対を主張した稲村公望氏の口から「郵政民営化は失敗した」という話の詳細を何度も聞いた。

世界のグローバリズムの大きな流れの中で起きている民営化の美名のもと、国際金融資本と言われるハゲタカ金融機関が、日本のゆうちょ銀行、かんぽ保険、ＪＡバンク、ＪＡ共済などの持つ巨額の国民の財産を奪いに来ている。稲村氏は今も、そういうことを絶対に許してはならないと強い警鐘を鳴らしているのだ。

最近、私が会津若松に近い磐梯という地域を訪ねたとき、そこにある大きな規模の郵便局が統廃合の対象となり閉鎖されると聞いた。この郵便局が消えるとなると、以前は1日で届いた郵便が3〜4日かかるようになるそうである。

全国の過疎化が進む町や村では唯一残された公的機関は郵便局だという地域も少なくない。郵便局は、郵便を出したり受けたりする機能のほかに貯金、送金などいくつもの役割を担っている。このシステムは日本の郵政の長い歴史で培われてきた日本独自の文化とも言えるものだ。だが、グローバリストは民営化と効率化のためにこのシステムをどんどん統廃合していくのが正しいと主張し、実際にそれが推進されているわけである。

私が住むアメリカでは郵政は民営化されていない。確かにアメリカの郵便は競合しているFedExやUPSなど民間の宅配会社と比べると効率が悪いし、コンピューターによる追跡システムの面でも劣っている。しかしその分、料金は非常に安いし、全米津々浦々の小さな町まで郵便をカバーしている。だから国民にとっては利便性が高く、民営化への動きも全くないのである。

4．どうすれば国を護れるのか

日本は戦後一環して米国の核の傘のもと、在日米軍を中心とする米軍の力があるから日本は中国、北朝鮮からのどんな攻撃があっても大丈夫だと長く信じてきた。

だが、ここ最近の米軍の真の実力を知っている私の近しい元米軍の人々から、驚くべき言葉を聞くことが多い。米軍の力がこの二十数年急激に落ちていることを抜きにしては、日本の国防を語れないのである。それ故に、この章でそれらの現実を読者に投げてみたい。

この米軍の凋落は、第2章で詳しく取り上げている。

バイデン政権の要望によって大幅に増加した防衛費

2023年、岸田政権はバイデン政権の要望により防衛費の大幅増加を決めた。23年の防衛費は22年に比べて1兆4000億円余り多く、およそ1・3倍となった。その結果、次に大増税が来ると言われている。

防衛費の増額自体は悪いことではない。だが、その防衛費を何に使うのかが問題である。岸田文雄首相は、増額した防衛費でアメリカの巡航ミサイル「トマホーク」を大量に買って、「防衛力の抜本的増強とは端的に言えば戦闘機やミサイルを購入すること」とまで言ったのだ。

これについて元航空自衛隊幕僚長の田母神俊雄氏は、単に「アメリカ製の兵器を言い値で買わされているだけ」と指摘している。さらに田母神氏によれば、米軍のお古の機材を使用しているため、ソフトウェアなども全てアメリカに握られている。これでは防衛力増強どころか、防衛でのアメリカ依存の強化でしかないという。

真の防衛力増強のためには、日本の防衛産業を育成することが欠かせない。自国で兵器や部品を生産し、自国で防衛力を賄えるようにお金を使うことが重要だ。

〝日本人〟の国防と国益の〝意識改革〟から全ては始まる

これは、長く日本という国を、日本の外からの視点で見てきた者として語るのだが、日本人には国防、つまり国を護る、という意識がずいぶんと薄いという気がする。第二次世界大戦後、長くアメリカの保護国、ある意味植民地のような状態を続けていたことで、「何かあってもアメリカさんがいる。彼らが有事の際には守ってくれるから、自衛隊なども体裁だけあればいい、災害救助で役に立てばいい。核兵器などとんでもない」という程度の認識しか持っていない人が多いようだ。

しかし、戦後の日本、まだアメリカがGDPの4割を占め、世界最強の経済力と軍事力を誇っていたときならそれでも良かっただろう。だが、冷戦が終わり、その後アメリカ一極一人勝ちかと思われた世界は、この近年急速に中国、ロシアを中心とするBRICSとグローバル・サウス、そして彼らを中心とする反米の中東諸国がそれらに加わってきたことで、情勢がまるで一変してしまったというのが、この2024年の現実だ。

よく、〝日本〟の国防が大事だ、という言葉があるし、無論当然だと思う。

しかし、「私は〝日本人〟が国防と国益を考えるということが最も大事だ」という考えだ。

つまり、日本人自身の〝意識〟が変わらない限り、日本の国防を今までどおり国会議員や官僚に任せていてもなんの解決にもならないと考えている。

中国の台湾侵攻についての日米の専門家の見方

露ウクライナ戦争、ハマス・イスラエル戦争後に、どこで戦火が起きるのかと言えば、現在日米でも共通なのは、中国による台湾侵攻である。

ただ、これには日米でも、中国はすぐに台湾へ侵攻することはないという見方と、早い時期に侵攻があり得るという両論がある。

田母神敏雄元航空幕僚長は「どこかを攻撃するには、そのための準備がいる。特に台湾という大きな島に侵攻しようとする場合には最低でも半年の準備期間が必要で、その準備を中国はしなくてはならず、現在のところその兆候はない」という発言である。

アメリカでも中国に対するタカ派の論者たちも多く、近いうちに中国は台湾に侵攻するだろうと見ている論者もいる。その中に、元米海軍のネイビー・シールズという特殊部隊の指揮官を務め、その後民間軍事会社ブラック・ウォーターを創立したエリック・プリンスという人物がいる。彼はテロリスト対策のエキスパートとして世界各国のアメリカ大使館の警備やテロリストとの人質交渉などにあたってきた。

そのプリンスは、2023年12月末に、「中国の台湾侵攻は24年3月または4月にもあり得る。それはアメリカの指導者がバイデンという〝弱い〟リーダーのもとでは、その攻撃がやりやすいからだ。中国は、弱いバイデン政権のもとでは、台湾を侵攻してもアメリカ軍は兵を出し最後まで台湾を守ろうとする気はないだろうと予想している。しかし、11月になって大統領選挙でトランプが勝った場合、中国はトランプがどんな手を打ってくるか予想できない。予想できない強烈な制裁や攻撃をトランプが行う可能性があり、そのためにも彼らは弱いバイデン政権の間に、台湾侵攻をする可能性が高い」と発言している。

これは、米国の指導者バイデンが弱いリーダーだと見ている反米諸国のリーダーたちの見方を正確に表している。だが、その理由だけで中国が台湾侵攻するかと言われると、まだわからない。しかし、21年のあの惨めなアフガニスタン撤退の様子を見ていたプーチンは、半年後にはウクライナに一気に侵攻した。また、ハマスも間違いなく、この弱いアメリカのリーダーを見てイスラエルの攻撃に走ったということはあるだろう。無論、ネタニヤフの報復の度合いは彼らの予想以上だったろう。だが、これはある意味、中東のパレスチナ人をこのガザの血でもってさらに団結と怨念を深める結果になっている。

これは大きく俯瞰すれば、大国アメリカのリーダーとしての指導力が大きく低下したことで起きた戦争だろう。

アメリカの意向に忠実な自民党政権

２０２３年10月の時点で、「アメリカを訪問した岸田首相は露ウクライナ戦争へのウクライナへの巨額支援を約束した」というバイデン自身による証言が何度も出ている。その額は数兆円から20兆円とも言われる。

アメリカがウクライナに出した支援金額は合計約2000億ドル（約30兆円）だが、岸田首相はこのアメリカのウクライナ支援総額と近い金額を日本から送ると約束したと言われる。

この原資は全て国民の税金だ。敗戦によって日本はアメリカの植民地としての位置づけになった。だが、これだけアメリカの相対的な力が世界の中で低下を続ける中、日本は真の意味での自立が必要な時期に追い詰められているというのが現実だろう。

新型コロナのアメリカの最新情報とは？

日本では新型コロナが急拡大した2020年春先から、なぜか欧米のような感染者から死亡者に至る数字が非常に低かった。当時その理由を科学的なデータを用いて説明をしていたのは、京都大学大学院特定教授（当時）の上久保靖彦氏や、大阪市立大学名誉教授の井上正康氏たち研究者だった。このお二人は、日本人の持つ特殊な集団免疫の状況や東アジアですでにあったウイルスによりすでに日本人が〝予備訓練〟を受けていた状態などを発表していた。

私は、著書『「アメリカ」の終わり』と『アメリカの崩壊』でもこの二人の研究が、当時のトランプ政権医療アドバイザーに就任していたスコット・アトラス博士の主張にも近いことを指摘している。アトラス博士は、ファウチ博士らが主張する「新型コロナにはワクチンしかない。全ての対症療法は効果がなく、危険であり、〝陰謀論〟である」と片付けたのに真っ向から反論した。米政権の医療アドバイザーとしては異色の研究者であった。

このように、アトラス博士はじめ、世界の多くの非主流派の研究者は、これら米国医療行政のトップにくるＦＤＡ（米食品医薬品局）やＣＤＣの主張とは違い、「すでに世界にはコロナに対して、ノーベル賞を受賞した大村教授の発見したイベルメクチン等安全性が確認されていて効果がある処方薬がいくつもある」と発表していた。

だが、21年1月バイデンが大統領に就任し、ファウチをコロナ対策アドバイザーとして呼び戻した。そこから、これらの〝非主流派〟の研究者たちの主張は全て〝陰謀論〟にされた。バイデンは「ワクチン、ワクチン、ワクチン」と連日連呼し、「ワクチンを打っていない国民は打った人間を危険に落しめる非国民だ」と犯罪者のように呼び始めたのである。また、米国の国家公務員や軍人、警察官、消防士に至るまで、「期日までにワクチン接種しない人間は解雇する」と脅し始めた。トランプは一度もそのような主張をしたことはない。

だが、このバイデン政権下での上院委員会で、ランド・ポール共和党上院議員などは、ファウチはじめ、ＣＤＣやＦＤＡの責任者を呼び出し、厳しく追及を始めていた。その結果は、ファウチはアメリカでは危険で研究ができないウイルスの〝機能獲得研究〟にＣＤＣの資金を使い、中国武漢のウイルス兵器研究所にさせていたことが判明した。だが、ファウチは最後まで自分たちに責任はないと逃げ回っていた。

バイデン政権下、当時はまだ上院、下院とも民主党が多数派を握っていたため、なんとか逃げることができたが、23年下院を共和党が奪還したことで、ファウチはじめ当時のＮＩＨやＣＤＣの責任者が議会での証人喚問に招聘されることになるだろう。24年復活したときには、それら莫大な資本を持つ大手製薬企業と腐敗に満ちた関係を続けてきたＣＤＣやＦＤＡの関係をさらに議会で明らかにし、その責任を取らせると、トランプも明言している。

2024年1月3日のフロリダ州公衆衛生総監の驚くべき発表

２０２４年1月、私がシカゴに滞在中に、ＣＢＳ、ニューヨークタイムズ、ワシントンポスト、ＦＯＸニュース、ＮＢＣはじめ、複数の米主要メディアは「フロリダ州公衆衛生総監ラダポ氏の同州でのｍＲＮＡワクチンの接種禁止勧告のニュース」を取り上げていた。無論、ＦＤＡは即座に、この発言を〝誤解を招く（misleading）〟と発表した。だが、大きな潮目の変化が起きている。

フロリダ州公衆衛生総監ラダポ氏は「フロリダ州ではｍＲＮＡワクチンの接種禁止の勧告を行う。これらは人体のＤＮＡを損傷するリスクがあり、充分な安全性調査が終了していない」

と発表した。

グローバリストを利するパンデミック条約改悪は国家主権の侵害

1948年に国連の専門機関として世界の健康を守るためにつくられた国際組織、WHOは、感染症の監視や健康に関するガイドラインの制定、世界中の健康に関わる問題に対応することなどを主な役割としている。

WHOは現在でもパンデミック条約を定めているが、その内容は「感染症が広がったら、対策を各国に伝える」「事務局長がパンデミック宣言をすることができる」となっている。

つまり、WHOがパンデミック宣言を行っても、現状では各国はそれぞれ対策を取るか取らないかを選ぶことができる。

2024年5月にこのパンデミック条約が改正されようとしているのだが、その内容は以下のような驚くべきものだ。

①加盟国はパンデミック宣言が出たらWHOの指示通りに行動しなくてはならない。
②WHOはいつでもパンデミックを宣言できる。
③宣言が出たら、WHOが推奨する治療やワクチンなどを使うことが必須となる。

これらの内容から明らかになったのは、パンデミック条約の改正で、加盟国とその国民の自由や権利を簡単に制限できるという点だ。

特に②は、問題が起こる前でもＷＨＯの判断で、パンデミック宣言ができてしまうというとんでもない改正である。となると、感染症が流行るたびに宣言を出すことで、各国の自由や権利をＷＨＯがコントロールできるという恐ろしい状態になってしまう。

宣言の正当性、提案されたワクチンや治療法の安全性も曖昧で、責任の所在も不明である。さらに、国によって状況も違うのだから、加盟国の医療政策を一律にするというのは明らかにおかしい。こういう問題はそれぞれの国で適切に対応するべきだ。

パンデミック条約改正は、国家主権を侵害する、まさにグローバリストのための改悪と言わざるを得ない。

このパンデミック条約改正に大きな懸念を持つ人々が日本の国内外に増えている。

国会では、平沢勝栄衆議院議員、原口一博衆議院議員を共同代表とし、神谷宗幣参議院議員が事務総長に就任し、超党派ＷＣＨ（World Council for Health）議員連盟が会合を持って、このパンデミック条約改正の危険性に警鐘を鳴らし、研究を続ける集まりが結成された。

また井上正康大阪市立大学名誉教授と村上康文東京理科大学名誉教授も、このＷＣＨ議員連盟に医療関係者として参加している。

コロナ禍で一人負けした日本を襲う〝次のパンデミック〟の地獄

以下は、２０２０年コロナ禍が日本を襲ってすぐに欧米の多くの査読論文を研究してきた医師の井上正康大阪市立大学名誉教授の見解を基にした私の考察である。

井上先生と松田政策研究所の松田学代表とは数多く対談も行い、共著『マスクを捨てよ、町へ出よう』（方丈社）を出版されている方々。私もお二人と21年、衆議院会館でジョイント講演会をさせていただいている。

20年から始まった新型コロナ騒動が、日本と世界に何をもたらしたのかについても総括しておくべきだろう。結論としては、世界の中で日本が一人負けしたと言える。

世界中を見回してみて、国民の大多数がコロナワクチンを頻回接種してしまった国は日本だけだ。７回接種した人が２０００万人いるとも言われている。

その結果はどうだったか?

世界で最もたくさんワクチンを接種した日本が、現在、感染者数でも超過死亡者数でも世界一になってしまっているのである。「打てば打つほど罹りやすくなる」というのが、異例の緊急承認を受け、今も、そして今後も世界に災厄をもたらすであろうｍＲＮＡワクチンやアストラゼネカなどのベクターワクチンの実力と正体だったわけだ。

ワクチンという名はついているが、その実態は「遺伝子改変毒薬」だったのだ。

日本でワクチン接種と因果関係があると認定された死者数は、過去半世紀にわたる、あらゆる種類のワクチン接種に伴う死者数を、このたった2年ですでに超えてしまった。

振り返ってみよう。20年に日本を襲ったコロナ禍は、感染爆発が起き、莫大な数の死者が出たアメリカやヨーロッパ各国のそれとはまるで違っていた。日本の死者数は、世界の中でも際立って少なかったのである。

日本の人口構成上の問題で、２０１０年あたりから30年くらいまでは、対前年比で毎年２万人弱ずつ死者が増えるものともともと予想されていた。人口に関する予測は、統計学的にほとんど狂わないのだが、コロナ禍に襲われた20年は、なんと前年より８０００人減少していた。つまり、当初の予想より2万８０００人ほど死者が減ったことになる。原因は、コロナでは人が死ななかったこと、そしてコロナウイルスが先に蔓延した影響で、例年冬に１０００万人単位の感染者、１万人以上の死者が出るインフルエンザが〝ほぼ全く〟流行しなかったからだ。

日本のマスコミが垂れ流してきた「手洗い・うがい・消毒の成果」という分析は、国民の目を真実から逸らすための意図的なミスリードだったのである。

21年、日本に帰国していた際に私は、参政党創設メンバーである松田学氏との知遇を得、松田氏とのご縁で井上正康先生をご紹介いただき、その後いろいろ教えていただいた。

井上先生は、世界中のコロナ関連論文をつぶさに精読されている大変な勉強家で、日本でコロナ死者が極端に少なかった主原因（後にファクターXなどとも呼ばれた）を、110年前に流行したコロナ・パンデミック＝ロシア風邪に対する抗体を東アジアの国民たちが保持していたためと分析されていた。

だからこそ日本人は、恐れすぎることなく、自らの免疫力を高める努力をすることが最も効果的な感染対策だと論じていた。過剰反応をして必要のないマスクを着用したり、社会を分断したりすることは避け、笑顔で楽しくコミュニケーションを取り続けるべきだと説いていた。夜の食事が感染を広げるなど、全くもって笑止千万とも。

アメリカやEU諸国でも、ほとんどの人はワクチン接種をしていても2回までで、その後、いわゆるブースターショットをした人は非常に少ない。やはり自然と警戒心が働いたからに違いない。世界で最も早く積極的にワクチン接種を推進し、全国民に強制していたイスラエルでも4回接種までストップした。それは、接種によるリスクがメリットを上回ることが医学的に確認され、政策を変更したからだ。一方、スウェーデンのように、ワクチン接種を国民に推奨せず、完全に自由意思に任せた政府もあった。結果を見ると、積極的に接種を進めた他の欧州諸国とほとんど差がないことがわかる。メリットとしては、恐らく今後増え続けるであろうワクチン接種に起因する後遺症や死者数が、ほぼゼロで収まることだ。

アフリカ諸国では、国の経済基盤の問題もあり、高価なコロナワクチンを購入できず、当然ながら接種率は極めて低い。そして、国際比較をしてみると、コロナによる死者数は極めて少ないのだ。これは一体何を意味しているのか？

「ワクチン接種によって自らの体細胞がスパイク蛋白を作り出すことに対して抗体が産生され、次にコロナウイルスが体内に入ってきた際にはその抗体が働いてウイルスを撃退する」というのがｍＲＮＡワクチンなど遺伝子改変ワクチンの画期的な原理とされていた。

しかし、ｍＲＮＡを壊れにくくするため修飾し、さらにポリエチレングリコールで覆ったことにより、体のあらゆる細胞に入り、いつまでも壊れずにスパイク蛋白を作り続けてしまうというとんでもない設計ミスをしたおかげで、免疫が暴走すればＡＤＥ（抗体依存性感染増強）とか自己免疫疾患となり、体がその危険を察知して免疫力を低下させれば、今度はターボ癌（あっという間に癌が発生、成長し、発見されたときにはステージ4という例が世界中で続出し、多数の論文が提出されている）ということになる、というのが井上先生たち「全国有志医師の会」の専門家たちや世界で「ワクチン接種による健康危機」を止めようという医学者たちの共通理解だという。実に恐ろしいことではないか。

こうした「とりかえしのつかない大失敗」は、偶然起きたわけではない。

中国の武漢研究所から「事故で漏れてしまった」ものか「意図的に放出された」のかは不明だが、新型コロナウイルス自体が人工的に作られたものであるという決定的な証拠は続々と明らかになってきている。しかし、こうした情報の全てを日本のメディアも全世界の主要メディアも完全に無視し、「陰謀論である」とのレッテルを貼り、ユーチューブでは、ワクチンの「ワ」の字さえ言えない徹底的な検閲が行われている。

我々が、本当のことを知るためには、相当な努力と決意が必要だという実に異常なことになってしまっているのだ。

そして「日本こそが悪の根源」とされかねない事態に

誰がこの事態を「プラン」したのだろう？　その一端は、先に紹介したロバート・F・ケネ

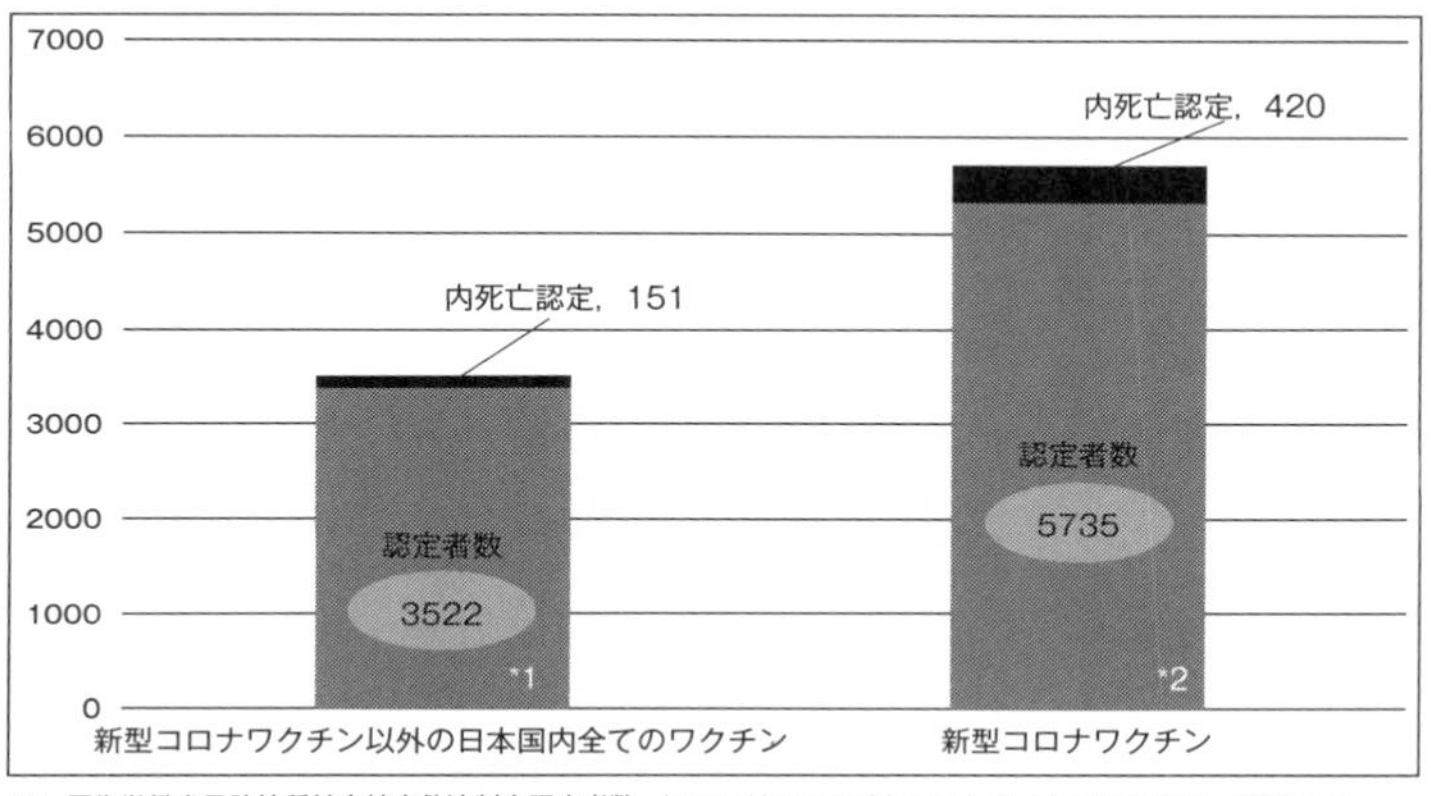

*1：厚生労働省予防接種健康被害救済制度認定者数　https://www.mhlw.go.jp/topics/bcg/other/6.html
*2：疾病・障害認定審査会 感染症・予防接種審査分科会新型コロナウイルス感染症予防接種健康被害審査第二部会審議結果　2023年12月27日厚労省発表分
https://www.mhlw.go.jp/content/10900000/001185105.pdf

井上正康「世界におけるCOVID-19ワクチン副作用報告の文献調査とデータベース構築」より引用。

予防接種健康被害救済制度認定者数
従来型全ワクチン（45年分）VS 新型コロナワクチン（2.5年分）

ディ・ジュニアの衝撃的な著書『The Real Anthony Fauci』（『人類を裏切った男』）でかなり詳細に描かれている。アンソニー・ファウチが真犯人ではないはずだ。彼は、番頭にすぎない。

その背後には、アメリカに留まらないディープステートの、最高の稼ぎ頭である「ギガファーマ・コンプレックス（巨大医薬産業複合体）」が存在する。そして、グローバリストたちが「世界統一政府（ワン・ワールド）」を本当に成立させるための最も重要なカギとみなしているのも、この保健衛生分野であることも、ほぼ確実だ。

次に来るパンデミックが、そのためのビッグステップになると彼らは考えているようだ。その企みの根幹が、「パンデミック条約（合意）」と「国際保健規則（IHR）」の改正で、「パンデミックが発生した場合、各国の主権政府の権限を越え、WHOが人権の制限を含めた指令を出せる」という悪夢のような仕組みが作られようとしているのだ。そして、その国際保健規則改正が協議・採決される世界保健会議が開かれるのは24年5月。もう残された時間はほとんどない。

日本でも、この事態を重く見た国会議員有志によって、23年11月15日に「超党派議連」が発足し、数度の会議が開かれているが、事態は全く予断を許さない。

もう1つの大問題は、その「次のパンデミックに備えるべきmRNAワクチンや自己増殖するレプリコンワクチンを作る工場が日本各地に続々と建設され、すでに稼働している」ことだ。その代表は、福島県南相馬市に作られたMeiji Seikaファルマなどの施設で、かつてのオウム真理教が作っていた「サティアン」にもなぞらえられている。

インフルエンザワクチンをはじめ、既存のワクチンが今後は次々とmRNA型に置き換えられていく。すでに、新たなインフルエンザワクチン20種の製造もスタートされようとしているらしい。まさに「次の毒ワクチン」の製造は、日本がほぼ一手に引き受け、推進していくという形になる。どういうことか？　開発され、使用されればいずれ必ず人類に大きな災厄をもたらすワクチン製造をした責任は「日本にこそある」、「悪いのは日本だ」と世界中から攻撃される可能性がかなり高いということだ。

そして、知ってか知らずか、「世界初のレプリコンワクチンの製造認可」などを拙速というより超特急で進めている現在の岸田政権が、誰にどのようにして操られているのかも非常に気になる。

ここでも本書のテーマとも重なるが、このままアメリカ（アメリカの中のグローバリスト勢力・ＤＳ（ディープステート））に追従することになれば、日本は滅びるということになる。

第4章

日本を崩壊から救え
——アメリカの外交失敗の歴史と日本のとるべきスタンス

1．米国と中国に挟まれた日本への提言

この章は、長くアメリカから日本を見てきた私から日本への警告だ。一言で結論から言おう。

「日本人は一刻も早く自主・独立の国家として早急に意識と行動を変えなくてはならない」

日本人や日本を第一に考えず、宗主国アメリカの意向のみ窺い媚びへつらう政党と政治家たちにはっきりとノーを突きつけることが必要だ。そのためには、〝日本人〟一人一人が意識を変える必要がある。それを行うのは、その危機を共有できる人々を少しずつでも増やしていくしかない。何かあっという間にそれができる魔法の薬などないだろう。私は本書の中で、現在日本の抱えている問題のいくつかを提起している。

第1章では、戦後いつまでも面倒をみてくれると思ってきたビッグブラザーのような大国アメリカはすでにその凋落が激しいいくつもの事例を述べた。

第2章では、最強の欧米NATOが武器と財政的支援してくれるならば、ロシアなんて問題

なく木っ端微塵になると予想した指導者ゼレンスキーを頂き、戦争を継続しているウクライナがどのような悲惨な状態になったかを描いた。このウクライナの姿が明日の日本に重なるのだ。いつも〝他国〟の軍隊の力を過信し、〝経済制裁〟で戦争に勝利できると考えた愚かな指導者に導かれた亡国の姿を示した。

そして第3章では、欧米先進国の物真似をして何か名誉白人のようなつもりになって〝国際協調〟のみ強調し、最も大事な日本人の生活を後回しにし、国防を疎かにし、外国へ莫大なバラマキをしてきた歴代自民党政権からの脱却が必要だと説いた。

この章では、直近のイスラエル・ハマス戦争が今後の世界や日本に与える影響、この数年私が出会った欧米の政治家や草の根保守の人々との交流、またこの数十年私が関わってきた国際交流についても語っていく。最後には、2024年最大のイベント、アメリカ大統領選挙への私なりの見立てと、その結果起こり得る日本への影響を示してみたい。

前述の矢野義昭氏は、「台湾の前に、尖閣のほうが危ない」という見方で私もその意見に同意している。そのポイントも日米の専門家の意見と共にこの章でカバーしたいと思う。

突如始まったパレスチナのハマスによるイスラエル襲撃

2023年10月7日、パレスチナの武装組織ハマスがガザ地区から突然、イスラエルに向けて3000発のミサイルを撃ち、同時に戦闘員をイスラエル国内に送り込んで住民を殺害し、男性ばかりか女性や子供も含む200人以上の人質を取った。

対してイスラエルは直ちにガザ地区へのミサイル攻撃を開始し、ネタニヤフは「これは戦争でありハマスを殲滅するまで容赦しない」と宣言した。ハマスの戦闘員はガザ地区の一般住居だけでなく病院や学校などの公共施設にも潜伏している。そのためイスラエルは、ハマスの戦闘員が潜んでいるという理由で公共施設も含めてほぼ無差別にミサイル攻撃と地上戦を開始した。ハマスが攻撃を始めて数カ月後には死者はガザ地区で2万人を超え、イスラエル側も1400人に達し、負傷者は双方とも死者の何倍にも上った。

長さ約50キロ・幅5~8キロという種子島ほどの面積のガザ地区には主にパレスチナ人のほかユダヤ人も住んでいる。人口は約200万人で人口密度の高さは世界でもトップクラスだ。

当初からイスラエル国内ではもとより欧米諸国でも、ハマスのような武装組織がなぜこれほどの大規模な攻撃が可能だったのかという大きな疑問が湧き上がった。有力説と言われるのは、世界で最も優秀な諜報機関だとされるイスラエルのモサドはハマスの攻撃があることは想定していたものの、それが「いつ来るか」までは正確に予期できなかったと言われている。

イスラエルの日刊英字新聞エルサレムポストが10月13日に発表した世論調査によれば、イスラエル人の86％が「ハマスによる攻撃はネタニヤフ政権の失策によるもの」と考え、56％が「対ハマス戦終結後にネタニヤフの辞任」を要求している。

ネタニヤフは１９９６年６月から７月まで第１次政権を担ったのだが、収賄疑惑が起きたために一時的に政界から身を引いた。政権に返り咲いたのは２００９年３月で、以後21年６月まで第２～５次政権を率いた。さらに１年半ほど間を置いた22年11月にまた政権に就いて今日に至っている。

22年11月の総選挙で、極右連合が倍以上に議席を増やしたことで、復帰を望むネタニヤフが発足した新政権は、〝極右〟強硬派を含み、当初からパレスチナとの大きな軋轢を生むと予想されていた政権である。イスラエル国内の法曹界や軍内部からも大きな懸念が上がっていた。半数以上のイスラエル国民がネタニヤフ政権を支持しないという世論調査の結果もここ数年来出ていた。

米メディアのイスラエル報道のトーンが変わってきた

アメリカはこれまで世界で最も親イスラエルの国だった。政治家、ウォール街の金融関係者、マスコミ、学者、莫大な富を蓄えヨーロッパやアメリカの政権に関与してきたグローバリスト勢力には多くの有力なユダヤ人がいて、アメリカの政権に影響力を行使してきた。アメリカの政治家は共和党、民主党を問わず完全に親イスラエルでまとまっている。

１９４８年のイスラエル建国に際してアメリカの富裕ユダヤ人が多額の資金を拠出した。世界中をさまよい歩いていたユダヤ人が建国したのは、ユダヤ教の聖地エルサレムのあるパレスチナ地域だった。エジプトをはじめとするアラブ諸国とイスラエルとの間で4度行われた中東戦争でも、アメリカはいつもイスラエルに武器と資金を送った。

これまでアメリカのマスコミの基調は親イスラエルであり、バイデン政権も親イスラエルに変わりはなかった。しかし今回のハマス・イスラエル紛争で私が少し異様だと思ったのはアメリカのマスコミでの報道のトーンが変化したことである。

紛争が起こった当初、アメリカの報道の基調はやはりハマスのテロリストたちによってイスラエルから人質が連れ去られ、残ったイスラエルの住民たちも血だらけになっているというもので、そうした映像がＣＮＮなどアメリカのテレビでずっと流れた。

ところがその後、イスラエル側がほぼ無差別にガザ地区にミサイルと空爆で攻撃をしたことにより、ガザ地区ではイスラエルよりもはるかに多くの民間人の死傷者が出た。すると今度はガザ地区での凄惨なシーンをアメリカのメディアがずっと流し続けるようになったのである。

これまでであれば、自分たちが支援しているイスラエルの悲惨な状況を大きく流し、反対勢力の悲惨な報道はかなり抑えてきた。今回は違う。これにはアメリカをはじめ世界各地で反イスラエル・パレスチナ擁護のデモが起きていることも影響しているだろう。

まずアメリカのアイビーリーグなど多くの大学キャンパス内で学生たちによる反イスラエル・パレスチナ擁護の大規模なデモが起きた。学生にはパレスチナやアラブ系の学生もいるが、デモに参加したのは一般のアメリカ人学生が大半である。ヨーロッパ諸国やカナダでも多くのパレスチナ擁護の運動が起き始めた。

こうした学生以外だと、反イスラエル・パレスチナ擁護の人々の中心はもちろん世界に散らばっているパレスチナ人たちであるのは間違いない。そのことも日米欧のマスコミはかなり報道するようになった。

しかしアメリカの親イスラエルの人たちの中にでさえ、今回のネタニヤフによるほぼ無差別の民間人へのミサイル攻撃や爆撃を強く非難する人がいる。彼らは親イスラエルではあっても親ネタニヤフの人々ではない。

ハマスの複雑で長い地下陣地は通常兵器では破壊できない

2023年10月17日夜にガザ地区の病院で爆発が発生し、病院の建物はほぼ崩壊状態となり500人の死者が出た。これは当初、イスラエルによるミサイル攻撃だとされたため、アラブ諸国を中心に世界中から強い非難がイスラエル政府に浴びせられた。

中東訪問中のバイデンはヨルダンのアブドラ国王、パレスチナ自治政府のアッバス議長、エジプトのシシ大統領らと会談する計画だった。病院の崩壊により、いずれの会談もキャンセルされた。会談でアメリカは、パレスチナ・アラブ諸国とイスラエルの停戦協定のところまで話を進める意向だったのだが、それが果たせなくなった。

もっともイスラエル軍は、この病院の崩壊はガザ地区の過激派のイスラム聖戦によるロケット弾発射の失敗だという認識を示し、自軍のミサイル攻撃を強く否定している。

ともあれ、ハマス・イスラエル紛争に対する矢野義昭氏による分析では、ガザ地区には地下陣地が張りめぐらされ、かつ何層にも分かれて、総延長は500キロにもなる。1層目には捕虜や民間人の施設があり、その数十メートル下の2層目には軍事施設、さらに下の3層目には砲弾・弾薬庫や司令部の根幹施設、武器製造工場までもつくられている。病院の下に地下陣地があってもおかしくはない。

このような規模の地下陣地は通常兵器では破壊できない。だから、完全に破壊するには核爆弾を用いるしかないため、イスラエルによる核爆弾使用も排除できないという考え方も出てきている。ただし、2024年初頭では、イスラエル軍の海水を使って水浸しにする戦術が取られており、この戦術がどの程度奏功するかは定かではない。

ウクライナとイスラエルへの支援を拒むアメリカの政治勢力

アメリカには長い間、共和党と民主党の両方にネオコンが存在し、世界各地の紛争地へのアメリカ介入のタネを蒔き戦争を開始してきた勢力が存在する。ネオコン政治家とは、いわゆる軍産複合体と密接につながり、軍需産業から資金をしこたま得ている政治家で、別名〝戦争屋〟(Warmonger) と呼ばれる連中だ。彼らは、イスラエル・ハマス戦争直後から徹底して「パレスチナのテロリストはヒトラーにも匹敵する残虐な殺害を実行してきた連中である」という非難を続けてきた。

アメリカ連邦議会はハマスのテロリズムを非難するというのが基調である。一方、その中には、アメリカが露ウクライナ戦争でウクライナに対して巨額の援助を行っていることを批判し始めた共和党議員たちも少なくない。

また、そこにはフリーダム・コーカス強硬派メンバーも20〜30人近く含まれている。こうした議員たちの中には、アメリカと最も近い同盟国であるイスラエルを擁護し支持する立場ではあるものの、「アメリカは、ウクライナに行った巨額の支援をウクライナからの〝明細が出てこない限り〟継続すべきでない」と公然と話す議員も出始めているのである。

米軍のアフガン撤退が引き起こしたロシアのウクライナ侵攻

アメリカではベトナム戦争でのサイゴンからの撤退が自国の軍事作戦史上最も失敗した事例とされてきた。サイゴン撤退のときには、アメリカ大使館の屋上から大使を含む大使館員たちがあたふたと米軍のヘリコプターに乗り込んで逃げ出すという生々しい映像が世界に衝撃を与えた。

アフガニスタン戦争での敗戦・撤退はそんなサイゴン撤退よりもさらに愚かで無様な撤退だったと言われている。アフガンの首都カブールに武装勢力のタリバンが迫ってきたとき、バイデンは「サイゴン撤退のようなことは起こらない」と断言していた。だが、カブールでも米国大使館員たちがやはりヘリコプターで命からがら逃げ出すという全く同じ醜態をさらしてしまったのだ。

２００１年から21年まで続いたアフガン戦争では、特に後半の10年くらいはアメリカ国民の間に厭戦気分が広がっていた。トランプも16年の大統領就任前から「若い軍人たちをなるだけ早く引き揚げさせる」としばしば発言し、就任後にはタリバンと何度もネゴシエーションを重ね、タリバンが「条件付きのドーハ協定」を守る限り、米軍はアフガンから徐々に引き揚げて21年５月１日に撤退を完了するという条件で交渉を進めていた。

ところが、21年にバイデン政権が誕生し、それまでトランプ政権が積み重ねてきた交渉の継続性が失われた。バイデン政権は、前政権がタリバンとの間で結んでいた協定とは関係なく撤退日を新たに8月31日と設定し、それに向けて21年春から準備を始めたとされる。

とはいえ、国防総省、国務省、バイデン側近のアドバイザーたちは「タリバンが最も戦闘意欲の高い夏の時期に拙速に撤退すべきではない」「その日程ではアフガンに滞在しているアメリカの民間人やアフガン内の協力者を脱出させることも不可能だ」という進言をバイデンに行っていた。

バイデンがそうした進言と撤退作戦の合理的な実現可能性を無視し8月31日に撤退に踏み切ったことによって、13人の米軍の死者と２００人もの現地人の死傷者を出すという最悪の撤退劇が生まれたのである。

9・11テロを起こしたビン・ラディン率いるアルカイダをかくまったという理由で、01年に米軍がアフガンのタリバン政権を攻撃したのが20年に及ぶアフガン戦争の始まりだった。当時のアメリカ大統領はブッシュ・ジュニアで、米軍はこの戦争にNATO軍や他の同盟軍の協力も得ていた。

だが、アメリカは戦争を終結させるときにはNATO諸国や他の同盟国に対して事前の通告を一切しないまま、米軍を急いで撤退させた。これにはアフガン戦争に協力した他のNATO諸国も怒りと失望を隠さなかった。

ではなぜバイデンがその日にこだわったのかと言うと、01年9月11日に起きたアメリカ同時多発テロからちょうど20年目の21年9月11日が間近に控えていたからだ。つまりバイデンは、ブッシュもトランプもオバマも終わらせられなかったアフガン戦争という20年戦争を終わらせた大統領として9・11テロの20周年式典でスピーチをして歴史に名を刻みたかったのだ。

バイデンはアメリカの過去の大統領と比較して最も支持基盤の弱い大統領であるだけでなく、正式な選挙で勝利した大統領ではないと半数以上のアメリカ人が考えている大統領でもある。非常に脆弱な政権基盤の大統領だ。

アメリカのアフガン撤退の惨めな顛末を最も注意深く見ていたのが、ロシアのプーチンであり中国の習近平だった。最初に反応したのは中国政府で、撤退期間中に極超音速ミサイルの実験を2回実施し、台湾へのあからさまな恫喝を始めた。次いでロシア政府は12月に10万人の兵員をウクライナ国境沿いに集結させ、ウクライナの背後にいるＮＡＴＯ諸国と米国に対する牽制に乗り出した。

私は著書『アメリカの崩壊』で米軍のアフガン撤退が「世界の大きな歴史の歯車を動かすことになる」と予言した。ただし『アメリカの崩壊』の最終校了が終わった22年1月段階ではまだロシアがウクライナ侵攻を始めるとは予想できていなかった。

プーチンは米軍の撤退におけるバイデンの指導力の欠如を知ってウクライナ国境沿いに兵員を集結させ、2月24日に一気にウクライナに侵攻していったのだと私は見ている。

欧米は、ウクライナに侵攻したロシアに経済制裁を行ったわけだが、その最大の誤算はロシアと中国を一気に近づけてしまったことだ。トランプは大統領時代、「ロシアと中国が接近することだけは避けなくてはならない」といつも言っていた。

しかも、露ウクライナ戦争が始まってからＢＲＩＣＳを中心としたグローバル・サウスの国々は、ロシア産の天然ガス輸入取引のドル決済をやめ、ルーブル、人民元、インドルピーなどでも決済するように変え始めた。ロシアおよび中国と親密な関係になろうとする動きがいくつものグローバル・サウスの国々から出てきたのである。

バイデン政権は中東安定のための努力を何もしていない

ロシアと中国は、欧米（日本も含む）中心の国連安全保障理事会などでハマス・イスラエル紛争に関連した採択を行うとき、明らかにパレスチナを一方的には非難しない姿勢を取っている。この構図は今後も長く維持されるに違いない。ハマス・イスラエル紛争でミサイル攻撃や爆撃はしばらく続くと考えられるが、いずれかの時点でロシアまたは中国が直接・間接的に仲介に入ってくる可能性は高いと私は見ている。

アメリカは一方的にイスラエルを支持するだけでハマス側から全く信用されていない。当然だろう。けれども、ロシアや中国はこれまでイランを通じてパレスチナと太いパイプを築いてきた。そして、ロシアもイスラエル建国のときからたくさんのロシア系ユダヤ人が入植したこともあり、ずっと表には出ない長い関係をイスラエルとは維持している国である。

近年、アメリカはイスラエルにとって非常に頼りない国になった。イランに対して資産凍結をしていたアメリカもバイデン政権になると、いくつかの条件をつけて凍結を解除し、60億ドル（約９０００億円）の資金をイランに戻そうとしていた経緯がある。

それに強硬に反対していたのがイスラエルである。解除された巨額のイランの資金はすぐにハマスやヒズボラなどのテロリスト組織に渡り、兵器や武器を買う金に代わるからだ。当然、イスラエルはそのことをアメリカに強く警告した。イスラエルはバイデン政権になってからアメリカへの信頼を失っている。

バイデン政権は、イランへの甘い態度を取りながらイスラエルの不信を買うような行動を続けてきた。トランプ政権のように2020年9月にイスラエルと中東諸国（まずUAE、バーレーン、後にスーダン、モロッコ）との歴史的な和解であるアブラハム合意を仲介するようなことを、バイデン政権は一切行っていない。

特に最近勃発した露ウクライナ戦争、ハマス・イスラエル戦争でも、アメリカはその調停にはいるのではなく、その当事者の片方に肩入れをして資金や兵器を出すことに終始している。バイデン政権で起きたこの2つの戦争で、バイデン政権は、軍産複合体や米政府に巣食っているネオコン戦争屋たちがただ喜ぶ政策を取っているだけだ。

日本は戦争や紛争の当事国の間で中立の立場を維持すべき

日本の上川陽子外務大臣は10月17日、ガザ地区の一般市民向けに総額1000万ドル（約15億円）の緊急人道支援を実施すると表明し、11月3日にはパレスチナ自治政府の外相と会談し、パレスチナに対して6500万ドル（約100億円）の追加的な人道支援を行うと伝えた。

しかし私は基本的には、露ウクライナ戦争でもそうだが、日本の国益と直接関係のないハマス・イスラエル紛争のようなものにはなるだけ距離を置いて中立的な立場を取るべきだと考える。確かにアメリカとは同盟関係にある。それでアメリカに付き合ってある程度の経済制裁はするにしても、ロシアかウクライナ、あるいはハマスかイスラエルのどちらかを一方的に非難することはしてはならない。片方と敵対関係になる愚は避けるべきだ。

まずロシアの場合、日本はアメリカとは違って隣国である。中国もそうだ。だからアメリカとは違う対応を取らねばならないのは当然だろう。

イスラエルは2023年末、周辺国7カ国から攻撃を受けている。日本は中東から原油の95%を輸入している国だ。慎重の上にも慎重な外交がこれらの国々とは求められるということだろう。

また、日本は単独では両方に対して停戦を促すような役割ができないのであれば、仲介を行うことのできる中立国と一緒になって停戦への方策を探るべきである。

バイデン政権が崩壊させたメキシコ国境からテロリストを含めた侵略者が続々と

トランプ政権ではメキシコ国境の壁建設に着手し、不法移民対策に効果的な政策をとっていた。ところが、バイデン政権になってメキシコ国境をオープンにしてしまい、800万人から1000万人もの不法移民が押し寄せた。

世界150カ国から入ってきたこれらの不法移民には、中南米からの人々以外に、アフリカや中東、アジア諸国、そして大勢の中国人も含まれている。そして、その特徴は家族ぐるみで来る人も当初は多かったが、23年からはそれらの国々から明らかに健康的な20代から30代の成人男性が増えていることだ。

つまりハマス・イスラエル紛争が起こったことに関連付け、「不法移民にハマスの戦闘員のようなテロリストも紛れ込んでいる」と話す上下院議員も出始めている。

台湾有事にはアメリカ頼みは通用しない、日本自身がまず備えよ

今やアメリカの兵器産業はかなり空洞化してしまっている。前述のマクレガー元大佐は、兵器やその部品工場を国外に移転してしまったことで、この生産力を回復させるには最低でも4～5年かかると言っている。

矢野義昭氏は、中国の台湾進攻のシナリオは無論脅威であるが、日本にとっては尖閣諸島へ

の脅威が喫緊の脅威であると発言している。矢野氏は、日本も今後、国内で自前の兵器製造工場を持ち、ある程度の抑止力を持つ通常防衛体制を敷くには最低でも4～5年はかかると述べている。

彼は、暗い見通しではあるが、台湾有事や尖閣諸島有事を現状の日本の国防力で防ぐには時すでに遅しという見解だ。本来ならもっと早く日本の政治家や国民は台湾有事への備えをしておかなくてはならなかったのだ。

その意味では対応は遅れてしまった。といって、何もしないというのは許されない。今からでも直ちに台湾有事の危機がひたひたと目の前に迫ってきているという認識のもとに、政治家だけでなく国民全体も台湾有事に備えなくてはならない。

中国による台湾侵攻についての見方は、私もマクレガー元大佐や矢野氏と同じである。すなわち、米軍は力が非常に落ちており、二正面どころか一正面でさえ勝負できる兵力がなくなってきている。しかもアメリカは国内にある砲弾をウクライナに送ってしまい、残りの砲弾も今ではイスラエルに送るという状態になっている。それゆえ、東アジアの同盟国に援助を行う余裕はない。

矢野氏は、「米軍の力がはるかに後退してしまった中で、日本の一般兵器だけではロシア・中国に歯が立たないなら、現実的には唯一、核兵器を自前で開発・製造することが最も大きな抑止力となる。核兵器を地下や潜水艦に装備しておけば、相手の攻撃を強く抑止することができる」と語っている。

一方、中国が台湾を武力で直接攻撃する可能性は少ないのではないか、という見解もある。だが、矢野氏は「日本にとって台湾よりも尖閣諸島がより危機である」という見通しを持っていた。現在すでに中国艦船が尖閣を常時取り囲み、実質的な支配下にあるという意図を剝き出しにしているからだ。

また、日本の海上保安庁は警察であって、その艦艇は海上自衛隊のような自衛のための最低限の火器さえ常備していない。対して中国の海警は日本の海保とは違い、即座に海軍の艦艇として通用する攻撃力を備えている。

台湾総統選挙後も以上のような状況は変わらない。いずれにせよ、日本は台湾有事に対抗するための法律を早急につくりあげることが重要だ。

全く政治経験のない議員が続々と誕生している――2人の女性下院議員

アメリカでは、2016年のトランプ大統領が誕生してから、共和党の中でトランプを熱烈に支持する一般の政治家経験のない人々が次々に共和党から立候補して当選してきた。それに対してトランプ自身も、それら普通一般の女性、黒人、スパニッシュ系、家庭の主婦、オフィスワーカー、経営者、トラック運転手などを強力に支援し、当選の応援を続けてきた。

「このままではアメリカの良き伝統がＷｏｋｅカルチャーやＬＧＢＴＱ教育、新たな人種差別である批判的人種理論などで、学校や社会において壊されていく」ということに危機感を持った一般の草の根の人々が立ち上がって何人も当選をしたのである。

以下ではそのような経緯で下院議員に当選した２人の女性議員を紹介したい。

２人とも、それまでは全く政治の世界にいた経験のない素人である。私は彼らが20年の下院選挙で当選してから注目してきて、その後の新人議員ながらその行動力に感心してきた。幸運にもこの２人の議員にインタビューをすることができたのである。

私は22年のＴＰ ＵＳＡでトランプに近い共和党のマージョリー・テイラー・グリーン下院議員に会った。安倍晋三元首相が暗殺された7月8日からまだ日が経っていないこともあって、グリーン議員はまず「日本の国民に深い哀悼の意を表します」と沈痛な面持ちで言い、「安倍元首相の外交的業績は非常に高いものがあるといつもトランプ大統領が話していた」と伝えてくれた。

彼女は、もともと運送関係の会社を経営していた経営者だ。また、熱心なクリスチャンで3人の子供を持つ母親である。だが、彼女のような熱烈な愛国者も、左派メディアから言わせると〝極右〟であり、〝白人至上主義者〟であり、〝Qアノン〟系の陰謀論者となる。彼女の発言や行動をフォローしているが、まるでそれらは事実とは違う民主党左派によるプロパガンダだろう。このような普通一般の小さな会社を経営している女性などがトランプの支援のもと誕生してきている事実もまるで日本では報道されていない。

次に、これも知名度の高い共和党のローレン・ボーバート下院議員へのインタビューも行った。彼女はもともと自分の住むコロラド州ライフル市でシューターズ・グリルというレストランを経営していた。そこは名前を銃のライフルにちなんだわけではないだろうが、全米でも珍しい特徴のある街だ。この街は西部劇のカウボーイの時代さながらに、住民は外出するときにピストルを腰にさげて歩く人が多い。

彼女がライフル市でレストランをオープンした直後、店の中でナイフを使った殺人事件が起きて死亡者が出てしまった。だから、体の小さい彼女は腰にピストルをさげてレストランに出勤するようになった。

その姿を見たウエイトレスたち7〜8人から「ローレン、危ないことが起きるかもしれない。私たちもお客さんに食事を運ぶときに腰にピストルをつけたい」という要望が出たのである。そこでみんなで話し合い、ピストルを腰に下げてお客さんに食事を提供することにした。これが期せずしてレストランの名物となり、全米どころかカナダからも多くの人たちがやって来るようになった。経営者のボーバートさんも名前が売れて、下院議員選挙に立候補したところ見事に当選したわけである。彼女は今や議員として非常に力強く保守派の主張を展開している。

私は著書『「アメリカ」の終わり』に以上の話を書いていたので、ボーバート議員に会うにあたってその本を持っていき、「日本であなたのことを初めて紹介し写真を載せた著者です」と言って彼女にプレゼントした。彼女は大変に喜んでくれて、一緒にツーショットの写真にも収まった。

グリーン議員とボーバート議員に共通するのはトランプの強力な支持者でありフリーダム・コーカスのメンバーだということだ。

また、2人は熱心なクリスチャンで中絶反対を明言しており、国民の持つ言論の自由、自衛のための銃保持の権利を主張し、女性の安全や女性スポーツへの危機を招いている過激なLGBTQ運動にも明確に反対している。

TP USAの会場ではリアル・アメリカンズ・ボイスというメディアのブースにも行った。大手のCBS、NBC、ABCとともに私がいつも視聴しているスティーブ・バノンのウォールームのプラットフォームを提供しているメディアだ。そのブースで私が仲良くなったのが、若い参加者の多い中では珍しい50~60代の男性たちだ。私と同世代である。ボランティアとしてブースに応援に来て番組のスタッフをしたり参加者へのインタビューをしたりして発信する

ローレン・ボーバートさんと

側になっていた。

その1人で私が日本からきたベストセラー作家であると聞きつけたラルフから、彼らのライブ番組でインタビューを受けた。『「アメリカ」の終わり』という本はどんな内容なのかという質問に私は「トランプ政権でアメリカ人の生活が好転したのに、バイデン政権になるとその生活が一気に悪化したというようなことを書いた」と答えて、「日本にも多くのトランプ・ファンがいるよ」とも付言したのである。

アメリカは起業家精神を持つ若者にチャンスを与え続ける

アメリカ最大の保守系団体ＡＣＵ（American Conservative Union）主催によるＣＰＡＣには、大勢の保守派が全米から集まる。これはアメリカ最大級の政治イベントだが、日本でも２０１７年からＣＰＡＣ ＪＡＰＡＮが毎年開催されている。

私は22年12月に東京で行われたＣＰＡＣ ＪＡＰＡＮでトランプ政権の司法長官代行を務めたマシュー・ウィテカーさんと日本の元大臣経験者のモデレーターを務めた。

このときその元大臣経験者は、アメリカという社会は貧富の差が激しくて貧しい者にはまるでチャンスがないかのような発言をした。これに対してウィテカーさんは以下のように反論したのだった。

「アメリカという国は、アマゾンを創業したジェフ・ベゾスやテスラの創業者イーロン・マスクなど移民や移民の子供たちの世代で特別金持ちの家に生まれたわけではない起業家たちが世界でトップクラスの資産をいまだに築ける国である」

アメリカは起業家精神のある若い人たちにチャンスを与え続けているという主張だ。

私はこのＣＰＡＣ ＪＡＰＡＮで、保守系ソーシャルメディアであるゲッター（Gettr）の創業者のジェイソン・ミラーCEOにインタビューをした。彼はトランプ政権ではホワイトハウス・コミュニケーション・アドバイザーも務めていた。ゲッターはトランプをはじめとする保守派言論人への著しい検閲を開始したグーグル、フェイスブック、ツイッターなどに対抗してつくられたもので、保守系の人々だけでなく「どんな人々も検閲をしない」というソーシャルメディアだ。

ゲッター利用者はアメリカを中心に英語圏では多いものの、アジア圏、特に日本ではまだ少ない。ゲッター拡大のために来日した彼は私のインタビューに「検閲を一切することのない自由なソーシャルメディア、つまり個人が完全に自由に発言できるプラットフォームを提供したい」と語ってくれた。

CPACで接したアメリカ保守系の有力者たちの話

2023年3月、コロナ禍のために一時中止されていたCPACが首都ワシントンDCで久しぶりに開催された。そこにJCU議長のあえば浩明氏の配慮で情報戦略アナリストの山岡鉄秀氏と私がCPAC JAPANのシニアフェローとして参加したのである。あえば氏は私の著書『「アメリカ」の終わり』を高く評価してくれている。

このCPACでは数十名の共和党上院議員と下院議員のほか、私がいつもテレビや様々なメディアでよく視聴してきた政治家、言論人、ジャーナリストが次々に壇上に立って演説した。

それらの演説の中でも私が特に印象に残っているのがマット・ゲイツ下院議員だ。23年10月に共和党のケビン・マッカーシー下院議長が解任されて行われた下院議長の選出でゲイツ議員は台風の目となる働きをした（新下院議長には共和党のマイク・ジョンソンが選出された）。

ゲイツ議員は壇上で、「今、アメリカの政治家たちは共和党と民主党問わずほぼ全ての議員が、巨額のお金を持ったドーナーたちやロビイスト、つまり軍産複合体、大手製薬業界、グーグル、ツイッター（現X）、フェイスブックなどのビッグテックから巨額の献金を受け取っている」と発言し観衆の耳目を引いた。さらに「私はそれらの大手産業や大企業から1セントももらっていない、唯一人の共和党下院議員だ。だから、全く彼らの影響を受けない。私はアメリカ国民のための政治を行っていくことができる」と力強く語り、大きな拍手を浴びた。

また、22年のTP USAで会ったマージョリー・テイラー・グリーン下院議員も登壇した。「今やアメリカのいくつかの州では、トランスジェンダーの子供が親の承諾なしに性転換手術を受けることができるようになっている。これは子供への虐待、子供への攻撃である。私はそれを禁止するという法案を提出した」と演説すると、観客は力強い声援を送った。

私は、トランプ政権の元閣僚やアメリカの言論に影響力を持っているスピーカーたちへのインタビューを行うことができた。その1人が、私がここで最も会いたいと思っていたトランプ政権の主席戦略官を務め、いまだに絶大な人気を誇る保守派言論人であり活動家であるスティーブ・バノンだ。彼は日本で行われた17年の第1回CPAC JAPANにゲストとして参加したときのことを懐かしく語ってくれた。

また、会場には50カ所に及ぶブースが設けられていて、これらのブースでもインタビューを行った。1つがマムズ・フォー・アメリカ（Moms For America）のブースで、過激LGBTQ教育や新たな人種差別主義教育の批判的人種理論から子供たちを守ろうと敢然と全米で立ち上がった女性リーダーたちの集まりだ。そこで代表のアリー・レッグさんにインタビューできたのは幸運だった（アリーさんの話は前述した通りである）。

ほかにはトランプ推薦で最も人気が高いと言われ、22年にアリゾナ州知事選挙に立候補したカリー・レイクや、スティーブ・バノンの番組で私もよくフォローしていたジャック・ポソビアック。これら若手の保守派言論人からはCPAC JAPANのインタビュールームで話を聞くことができた。

なお、ゲストとして来ていた元イギリス独立党の党首ナイジェル・ファラージ氏とは会場のカフェで朝食を食べていたらたまたま隣同士になった。それでインタビューしたところ、彼は自らが主導して進めたブレグジットの後、現在のインド系のリシ・スナク首相になってから、イギリスが再びグローバリズムへの道を踏み出していることへの懸念を話してくれた。

見事に堂々と自分の主張を言える青年に感銘を受けた

ワシントンDCでのCPACでは有力者へのインタビューが興味深かったのはもちろんだが、

一般の参加者へのインタビューも非常に印象深かった。

その1人がテキサス州アマリロから参加していた若い白人女性のサラさん。私の「2024年大統領選挙であなたは誰を支持しますか?」という質問に、彼女は「大変簡単な質問ね。トランプ大統領一択です。彼は4年間でアメリカ人のために大きな仕事をした実績がある」と答えた。さらに「デサンティスさんはどうですか?」には、「彼は州知事としての実績はあるけれど、トランプさんとは比較にならない。今のアメリカはバイデンで想像を絶するほど社会は破壊されている。まだ2年しか経っていないなんて信じられないほどアメリカ人の生活は悪化した。とても誰かを大統領にするためにトレーニングしている時間はない。あれだけの実績を残したトランプさん以外にあり得ない」と明確な言葉で返してきた。

もう1人が黒人青年のマーカスさん。彼はニューヨーク州ロチェスターという北部の街から来ていた。24年大統領選の支持者については「トランプが共和党の予備選で勝てば彼に投票しますが、今起きているトランプを憎む勢力による様々な謀略により彼が予備選で大統領候補者になれないことを懸念しています」との意見だった。

次に、「あなたはリベラルなニューヨークから来たけれど、20年夏のブラック・ライブス・マター(BLM)による暴動や略奪、放火の最中はどう感じましたか?」と聞いたら、非常にはっきりと「私の街はこの50年間1度も共和党の政治家が代表になったことのない超リベラルなところです。あのＢＬＭの暴動が我々の街を襲ったとき、彼らはまずマイノリティの黒人やヒスパニック系の小さな商店を標的にして略奪を始めたんです。同じ黒人の店を狙い略奪を行った。それを見て彼らの〝黒人差別反対〟など全く嘘だとわかりました。このＢＬＭの組織には実際には多くの白人が入っているんですよ」と語ったのである。

私が「アンティファ（反ファシズムを掲げるが過激暴力組織が実態）もそうですね」と問うと、「まさにその通りです」と断言した。

次に「現在この国で巻き起こっているＷｏｋｅカルチャー、ＬＧＢＴＱ、批判的人種理論などについてどう思いますか？」という質問には、「これらの文化は、我々自身を人種や性別、年齢、所得などによって分断を図ろうとする危険なイデオロギーです。アメリカはユナイテッド・ステート・オブ・アメリカであって、デバイディド（分断）国家ではない。我々の国の基盤であるアメリカ憲法を守ために右派も左派も団結しなくてはなりません」という答えだった。

Ｗｏｋｅとは「社会正義に目覚めた人々」のことだが、独善的な正義感によって言論の自由を制限しようとするため、アメリカの保守系は反Ｗｏｋｅを打ち出している。

それにしてもアメリカにこれほどまでに見事に堂々と自分の主張を言える青年がいることに大変感銘を受けた。日本の政治家にもこんなにはっきりと現在の日本の抱える問題を明確にし、どのような方向に進むべきかを鮮明に示せる人はなかなかいないのではないだろうか。

「日本人が望まない米政府の政策は断固として拒否すべし」と米保守派大物が発言

2023年9月9日に参政党フェスという参政党の政治資金パーティーが開かれ、私も参加した。

CPACを主催するACU会長のマット・シュラップ氏が今回の参政党フェスにメインのゲスト・スピーカーとしてアメリカから駆けつけてくれた。

ACUは1964年に創設され、共和党の中でも保守派系議員を強力に支援してきたことで知られている。独自の基準により共和党の上院議員と下院議員たちをそれぞれ連邦議会での投票行動などによって採点し議員としての評価を行っている。

ACUが理想とする大統領は81年大統領に就任したロナルド・レーガンで、ACUの支援者は保守系クリスチャンの団体である福音派の人々とも重なり、敬虔なクリスチャンが多い。

当然ながら、人工中絶反対を強く主張し、民主党左派が中心となって進めているLGBTQ活動や子供たちへの過激な性教育に真っ向から反対を表明している。

彼らの主張はトランプとも非常に重なる。アメリカの伝統的な価値観を大事にするというトランプの政策を非常に強く支持し、トランプ政権の誕生の一翼を担った。

シュラップ氏はもともとはブッシュ・ジュニア政権でアドバイザーを務めていた。トランプ政権では妻のメルセデス・シュラップ氏がアドバイザーとなった。彼ら夫婦は揃ってよくFOXニュースなどの保守系の番組に出演し発言している。アメリカ保守界の中で強い影響力を持っている。

参政党フェスでは山岡氏がシュラップ氏に様々な質問を投げかけ、私が通訳と解説を行うモデレーターとなった。シュラップ氏はいくつも重要なことを言ったのだが、私が最も重要だと思ったのは、山岡氏が「アメリカから始まった過激なLGBTQの主張をエマニュエル駐日大使が日本の政権に押しつけていますが、どう思いますか」と聞いたときのシュラップさんの答えだった。シュラップ氏は即座に「もしアメリカ政府が日本人が望まないような政策を押し付けてくるようなことがあるならば、断固として拒否し、はっきりとNOと言うべきだ」と明言したのである。

このトランプに最も近いアドバイザーの1人で個人的にも友人であるアメリカ保守系の大物の言葉に5000人の観客は嵐のような拍手で応えた。その光景を見て参政党フェスに参加した参政党員や支持者の人たちは本当に日本の自主独立を望んでいる愛国者の人たちであると、私は一種の感動を覚えたのである。

重ねて言うが、このシュラップ氏の言葉は極めて重い。なぜならば、彼は保守系の幹部の議員たちと頻繁に連絡を取り、どの議員がアメリカの国益にとって最も良い議員であるかを注意深く見ているACUの議長だからだ。そして彼は国際的な保守派の政党や政治家と横の連帯を進めているリーダーでもあるからだ。

トランプ・ブームと似た参政党の興す国民運動のうねり

私は2016年の大統領選挙のとき、シカゴにいてドナルド・J・トランプ vs ヒラリー・クリントンの戦いをずっとフォローしていた。その中で日本では報道がなかったが、トランプ候補の支持率は春から夏にかけて急速に伸びてきたのである。反対に、同時期のヒラリーの人気は予想されたほどではなく、特に女性と黒人の支持が民主党が考えていたほど集まっていないことが明らかになってきた。

またトランプは、日本の報道では差別主義者とか、黒人やスパニッシュ系を中心とするマイノリティの人気がないとか言われていたが、実はマイノリティの支持も日本のマスコミが言うほど低いわけではなかった。

トランプは、アメリカの中西部から東海岸に至るラストベルト（寂れた工業ベルト地帯）の中にあるペンシルベニア州、オハイオ州、ミシガン州、インディアナ州などの白人労働者からも支持されていた。

これらの地域の工場の多くは、クリントン政権やブッシュ政権の時代からすでにウォール街の国際金融資本によって中国への移転が進められていた。その結果、アメリカの製造業を1900年代初めから牽引してきた数多くの鉄工所や自動車関連工場が続々と閉鎖されて勤めていた人々も失業し、寂れ果てた街が広がっていったのだ。

このことを私は『「アメリカ」の終わり』で忘れられたアメリカ人として詳しく描写した。トランプはそうしたラストベルトを丹念に回り、民主党政権が工場を中国を中心とする賃金の安い国へと移転させてしまったことを厳しく批判し、自分が大統領になれば必ず製造業をアメリカに呼び戻すと約束したのである。対してヒラリーはラストベルトでの遊説にさほど力を入れていなかった。これらのラストベルト州は長く民主党州のブルーステートが多かったことで油断をしたと言われた。

このトランプの批判と約束に大きく反応したのがまさにラストベルトに住む人々である。それに対して日本のメディアは「トランプ支持者の大半は高卒のブルーカラーワーカーである」という報道を続けていた。彼らは支持者の一部ではあるが、彼ら以外の高学歴でアッパーミドルクラスの私の周りに住む経営者たちの中にもトランプ支持者は増えていたのである。

ラストベルトに住む人々の支持に加えて、トランプが伝統的なクリスチャンである福音派などの強力な基盤をベースに一気に支持を拡大していったのが2016年の夏だった。この戦略を打ち出して実行まで持っていったのは、16年の夏からトランプ陣営に選挙参謀として加わったスティーブ・バノンである。

私は16年夏から一気に拡大したトランプ・ブームの現象と同じようなことが日本でも起こったと思っている。すなわち、22年7月の参議院選挙における参政党支持の急速な広がりである。参政党は誰もその名をほぼ知らないところから一気に党員数を10万人まで増やしたのだ。参政党ブームが起こって新橋のSL広場には1万人もの人々が投票日前日に参集した。スケールの違いはあっても、ともに草の根の立場の人々が立ち上がって起こした運動であるのには変わりはない。トランプ現象と参政党現象には類似点があるのではないかと私は考えている。

しかもこの日本で唯一反グローバリズムを掲げる参政党は、世界の反グローバリズムの大きな潮流の一環だ。前述したように、23年には反グローバリズムの大きな潮流がヨーロッパでも起きており、イタリアではジョルジャ・メローニ首相が誕生し、フランスではルペンの勢力が国政選挙で大幅に伸びた。そして、オランダ、アルゼンチンとその流れは一気に進んでいる。これらの世界の反グローバリズムの大きな潮流は歴史的必然でもある。参政党の躍進もこの大きな潮流の一環だと考えている。

現在の参政党には国会議員がまだ神谷宗幣参議院議員1人しかいないが、すでに140人を超える地方議員が誕生しており、草の根の一般の人々が毎日情熱を持って活動をしている。

また、参政党は、今までの政党では言えなかったいくつもの点に踏み込んだ活動をしている。20年から一気に世界的に感染拡大した新型コロナのｍＲＮＡワクチンが原因で起きている様々な副反応、超過死亡の問題を真正面から取り上げている。国会では神谷議員が質問をするだけでなく有志の議員たちとＷＣＨ超党派議員連盟を立ち上げ、ワクチンへの疑義を議会で呈し始めている。

また、23年夏にあっという間に自民党と野党との修正案を入れたＬＧＢＴ理解増進法案が通ってしまったのだが、それへの反対を表明したのも、国政政党としては参政党のみである。

参政党の一番の特徴は、無名の一般の人々が中心になって立候補している政党であるということだろう。そして、「地方から中央を変える」ということを実践している稀な政党である。

私がアメリカの軍人で尊敬している人物に、先に紹介した、トランプ政権の初代の国家安全保障顧問のマイケル・フリン将軍がいる。無実のロシア疑惑をかけられ3年半公職につけずその後、民主党からの疑惑が全くのデッチ上げだったことが判明したのだが、そのフリン将軍は「地方から中央を変える」をモットーに地方政治で着実に力のある候補者を応援する草の根の政治組織運動を行っている。

私も、参政党の基本理念である「教育」「食と農業」「国守り」に対する考えが非常に近いこともあり、22年から千葉県や青森県などの東北の地方選挙にでる候補者たちを応援してきた。それが23年には東北ブロック比例の国政改革委員という、自らがその中心にくる立場となってしまった。これも運命かなと思っている次第だ。

24年からは、欧州、南米、そしてアメリカ自身が反アメリカ、グローバリズムのバイデン民主党政権からの大きな揺り戻しがくるだろう。日本でも参政党に続いて、23年作家の百田尚樹氏が日本保守党を立ち上げた。これもその大きな潮流の一環だと考えている。

だが、この世界の大きな潮流の中で、日本ではこの参政党の役割がこれからますます大きくなっていくと確信している。

2024年大統領選挙の見立て

私はアメリカに1980年に渡ったわけだが、この数年ほどこの大国の崩壊の姿を間近に見たことはなかったのではないかと感じている。本書をお読みになった読者にはその意味がおわかりだろう。その変化は世界各地で、ここ数十年ずっと深く進行してきた、グローバリズムからくる様々なアメリカや各国の伝統、文化や歴史を壊す動きが起きてきたことである。

特に、アメリカでは、グリーン・ニューエネルギー政策で全てのパイプラインを止め、世界最大のエネルギー生産国が他国にエネルギーの買い付けに走ることになり、一気に世界的エネルギー高騰を招いた。そして、それによる世界的インフレ。

２０２４年はそれらのアメリカの負の影響がさらに米国内で悪化し、国外にもその影響はさらに悪化する方向で進むことになると考えている。

この24年11月の大統領選挙は、かつてなかった最も重要な分水嶺となる選挙となるのは間違いない。

私は今までビジネスマンと、空手の指導者として大勢のアメリカ人を指導してきた一介の日本人にすぎず、何かの予想をして当てたという輝かしい過去もない。ただ、この大統領選を見るとき、24年初頭の時点で共和党はトランプで決まりだ。

先に紹介したように、23年12月10～13日のＦＯＸニュースの世論調査では、共和党予備選支持率ではトランプ69％、２位のデサンティスは12％と圧倒的にリードしてその差を広げている。

「トランプが大統領になれない３つのシナリオ」

だがもし、トランプが大統領になれない場合があるとすれば次の３つのシナリオがあるのではないか。

①何者かによる暗殺、あるいは暗殺未遂で病床に倒れて、出馬不可能になる。

②現在起きている4件の起訴のどれかで有罪になる。特に1・6事件で反逆を煽った首謀者だとのデッチ上げ裁判で有罪になり、公民権停止され出馬不可能になる。もしくはコロラド州はじめ十数州で起きている州内でトランプ票をカウントしないという民主党の仕掛けている選挙妨害が有効になった場合など。

③2020年に起きたのと同様のスイング・ステート（激戦州）6州で起きた選挙不正が再度行われ敗北する。

これら3つのシナリオは今のトランプの現状を見れば、どれが起きてもおかしくないものばかりだろう。

さて、対する現職バイデン大統領はどうなるか？

現在、24年初頭の時点では、私はバイデンは8月開催予定の民主党党大会までに出馬を取り下げると考えている。なぜなら、民主党で最も力を持っているバラク・オバマ元大統領がすでに側近の知恵者デイビッド・アクセルロッドを使いNBCやウォール・ストリート・ジャーナル紙にバイデンは出馬するべきでないとの報道をこの数週間描かせているからだ。民主党は、すでにハンター・バイデンがバイデン副大統領時代の巨額の外国政府と企業からのカネの受領と引き換えにアメリカの外交政策を売り渡した罪で重罪に問われ、バイデン自身も司法の手にかかることを知っているだろう。すでにバイデンは民主党内部の最高首脳たちから見放されている。表向きは、健康上の都合などで長年のアメリカ合衆国への貢献ご苦労様でした、という引導を渡されることになるのだろう。

そうなると、現在名前が挙がっている民主党の大統領候補の一番手は、カリフォルニア州知事のギャビン・ニューサムだ。だが、彼ではトランプには勝てないことを民主党はよく知っている。はっきり言ってトランプに勝てる民主党の候補者は一人もいない。いや、たった一人を除いてと言ったほうが正確だろう。

「民主党最後の切り札ミシェル・オバマ」

それはミシェル・オバマ元大統領夫人である。ただ、私は彼女が必ず出てくるという可能性自体はまだ低いと考えている。だが、それでもこのミシェルが出てくる可能性を排除するわけにはいかないのだ。それは以下の理由による。今までミシェルの名前は浮かんでは消えた経緯があるが、いつもずっと大統領候補であったことはない。1つにはバイデンが続投すると言明している以上、元大統領夫人が名乗りをあげることはない。

バラク・オバマとミシェル・オバマは、今でもアメリカを代表するセレブなのだ。高級邸宅が並ぶマサチューセッツ州マーサズ・ヴィンヤードの、1200万ドルとの評価額だが実際ははるかにそれを超える2000万ドル（約30億円）の邸宅に住み、誕生パーティーにはハリウッドの歌姫や有名スターたちが綺羅星のごとく参列し200人の使用人がサービスする宴を開くセレブである。また、ミシェルは1回の講演で75万ドル（約1・1億円）というとてつもない金額を取れるスーパースターといってよい。そのため、いくら民主党首脳部が懇願しても、ミシェルはそれらのカネと名声に囲まれた優雅な生活から離れ、泥沼の政界に入ることはないと考えてきた。だが、今年に入り一気にバイデンの支持率が急降下（20％台）する中で、民主党と大口献金者（ドーナー）たちは焦りに焦っているのが現状だ。

そうなると、トランプに唯一勝ち目のある候補というのはミシェル・オバマしかいない。知名度と人気は他のどんな候補がでてきても全くかなわないのがミシェル・オバマだ。

もし彼女が民主党の大統領候補者として名乗りを上げてくると、バイデンどころではない脅威になるだろう。まず、第一に白人のトランプと違い、黒人であること、女性であること、ハーバードを優秀な成績で卒業した抜群の知性を持っていること、すでに8年間の米政界と世界の外交の舞台に夫オバマ大統領と行動し、世界の指導者たちにも広く知己を持っていること。黒人女性というアイデンティティだけで副大統領になったカマラ・ハリスなどと比較するのも失礼なほどだ。

何度か繰り返すが、私はまだミシェルが出てくる確率は現在のところそれほど高くはないと考えている。だが、民主党もこの大統領選挙に絶対に負けるわけにはいかないのだ。すでにトランプは、大統領選挙に勝利したら1月の就任日その日にそれまでバイデンが凍結したパイプラインを全て再開すると明言しており、「ドリル、ベイビー、ドリル（石油を掘りまくるんだ！）」と、どの集会でも言っている。そしてバイデンが開放したメキシコ国境に壁をつくり、しっかりと不法移民を遮断すると言っている。また、WHOからの脱退、無論資金のカット、パリ協定や環境関連の国際機関などからも脱退し資金を引き揚げるだろう。

それらの政策はバイデン民主党の背後にいるグローバリストたちには絶対に許すことができないものばかりだ。生死をかけた戦いが2つの陣営で始まっている。だから、彼らは4回の起訴で人気が落ちるだろうとの見通しだったが、全て当て外れだった。起訴されるたびにトランプの支持率はうなぎ上りだ。アメリカ国民はすでにアメリカには公正な司法も三権分立もないことをよく知っているのだ。

そして、トランプが勝つか、民主党のミシェルにしろ誰か別の候補が勝つかで、日本への影響も凄まじく大きな変化となるだろう。

もし民主党の候補者が続く場合、まずウクライナへの支援は継続されるが、カネのないアメリカはさらに日本への支援増加を要求することになる。ＡＴＭマシーンの岸田首相は、その巨額のウクライナ戦費と復興経費の日本負担の要求に唯々諾々と従うだけだ。全ては日本国民の血税だ。間違いなく今以上の増税が待っている。

民主党グローバリスト政権の背後には、世界のどこかで戦争が起きることが必至の軍産複合体や様々な利権集団が控えている。だが、この構造は共和党とて同じで、共和党議員たちに巨額の寄付を行い軍産複合体の利益を代表した企業のロビイストたちが囁き、カネを渡す仕組みが完璧に出来上がっている。ウクライナだけでなく、イスラエルの最右翼のネタニヤフ政権にもカネと武器をいっそう支援することになるだろう。つまり中東は一気に１９７０年代の中東戦争の再現でさらに血で血を争う戦いになる。

翻って、トランプが共和党予備選で無事勝利した場合（暗殺やデッチ上げ訴訟での敗訴で公民権停止などない限りだが）はどうか？

私はこれがアメリカにも無論世界にも最も望むべき形だと考えているが、それは薔薇色の未来だけでないと考えている。

まず、第一に「アメリカ・ファースト」の政策を進めるトランプは、初日からパイプラインを再開するので、またエネルギー輸出国に転じ、ガソリン価格は一気に2019年あたりの1ガロン2ドル前後まで下がり、それによって、食品、光熱費、ほぼ大半の国民の必須生活費が下がっていくだろう。世界的に見ても、原油価格の低下が基調となり、日本をはじめ大半の国にとっては恩恵となる。インフレが収まり、金利も下がっていくだろう。トランプは16年の時も徹底した減税政策を行っている。

また、外交に関して、トランプは選挙で勝利したら就任式の前に、プーチンとゼレンスキーと交渉を始め妥協点を見出し、まずは「戦争を停止させる」と何度も明言している。トランプは大統領になる前にニューヨークの不動産開発の世界で「ディールの天才」と言われてきた人間だ。また、大統領時代、プーチン、習近平、金正恩たちとも何度も直接面会し、ある意味コントロールしてきた。私はトランプなら、ロシア・ウクライナの両国リーダーの間に立って停戦を実施できる力があると考えている。現在の西側のリーダーではそれを行う力のあるリーダーは皆無だ。

トランプはイスラエルに対しては強く支持を打ち出しているのはよく知られている。彼はニューヨークという世界のユダヤ人とユダヤ系の国際金融資本をはじめ多くの産業界や財界で大きな力を持っている人々と長年親交を深めていた人だということを、どのくらいの日本人は知っているのだろうか。
私も1980年代ニューヨークで、100人を超えるユダヤ人の黒帯の弟子や後輩から、ずいぶんといろいろなことを教えてもらった。トランプという人は、そのユダヤ系が圧倒的な力を持つニューヨークでのし上がってきた男だ。彼の義理の息子がジャレッド・クシュナーであるということ一つ見てもわかる。クシュナー一族はニューヨークではその名を知らぬものがいないユダヤ系不動産最大手ファミリーの1つである。このジャレッドを片腕に使いアブラハム合意など、イスラエルとそれまで天敵の間柄であったアラブ首長国連邦をはじめとする中東諸国との間で次々と安全保障平和条約を締結していったのである。そのときもアメリカの大手主要メディアはトランプの手柄になることなのでろくに報道はしなかった。無論、日本マスコミはそのコピーマシーンなので、これもろくな報道はなかった。

イスラエルでも最もタカ派の最右翼であるネタニヤフ政権は、現在全くアメリカの言うことを聞いていない状態だ。しかし、ニクソン、カーター、レーガン大統領たちは、イスラエルがあまりにも過激に中東諸国を攻撃したときに、自制を促すようアドバイスをしてきた過去がある。だが、バイデン大統領とブリンケンでは、まるでイスラエルへのグリップがきいていない。つまり前述したように、バイデンは同盟国からも舐められているのである。

トランプが大統領に返り咲いた時には、親イスラエルとしての立場は強くアピールしながら、上手に戦闘と戦争の中止の調停をすすめるのではないかと考えている。

トランプ復帰後の日本への対応は

トランプという人は2016年の選挙戦の公約で世界の米軍を米本土に引き揚げていくことを明言した人だ。だが、中国に関しては一貫して強く警戒し、高関税はじめいくつもの経済的強硬姿勢を貫いた大統領だった。安倍元首相とも大変近しい間だったことはよく知られている。

そして、安全保障に関しては、アメリカはすでに世界の国々での戦争に介入するだけの力がないことをよく知っている人でもある。つまり、日本が一番近くで、いつ起こってもおかしくない中国による（今はロシアと北朝鮮が連携する）台湾有事、尖閣有事に対して、日本自身の国防力の強化を求めてくると考えられる。

つまり、いつまでも今までの自民党政権の「何かあればアメリカさんが助けてくれる」という甘い考えはキッパリと拒否する大統領になるだろうということだ。だからと言って日本に対して何か理不尽な要求を押し付けてくるかというと、そうではない。日本自身が真剣に日本の国を自らの戦力で自衛隊を中心にして、国を護るという国民意識が何より重要になる。

トランプ大統領誕生で起きるアメリカでの大混乱の可能性

私はここまで、トランプが再選されたときに関して、アメリカの内政、また世界にも良いことばかりのようなことを書いたのだが、挙げてきたアメリカや世界に与えるメリット以外に、アメリカ国内で考えられないことが起きる可能性があると考えている。

つまり、トランプの再登場とその政策を絶対に許さないという民主党左派というより、彼らの武闘組織であるブラック・ライブス・マター（BLM）やアンティファたちが中心となり、トランプ政権打倒と大都市の秩序を破壊する2020年夏に起きた暴動、略奪、放火の嵐が再度勃発する可能性である。

そして、再び警察官への攻撃が起こり、トランプは最終的には軍を出すところまでいく可能性も否定できない。しかし、それをした場合には、民主党と主要メディアは、トランプはやはり「独裁者」で民主主義の敵だというプロパガンダを国中で繰り広げるだろう。

そこで登場するのは、この3年間バイデン政権がメキシコ国境を取り払い、アメリカ中に広がってきた800万人から1200万人いると言われる不法移民たちである。

彼らは現在も大都会などでシェルターに入り、携帯電話が渡され、交通費をもらい、食事をあてがわれ、医療費はタダ、生活保護をもらっている人まで出始めている。また、これは23年から顕著に指摘されていることだが、以前は女性や子供たちが多かったのに対し、最近では20代から30代の体の屈強な若者が大半を占めるという。アメリカ人の生活はバイデン政策で一気に苦しくなっている中で、大量の不法移民がすでにアメリカの中に存在する。

トランプはこれらの大量移民は大統領就任後には即国外追放すると言っている。だが、もし前述したブラック・ライブス・マターや過激暴力組織アンティファに、現在アメリカの大学で起きている反イスラエル、親ハマスのデモをしている若者たちが加わり、そこにそれらの大量の不法移民が加わったら、街に火をつけ、店を略奪し暴動を起こすという最悪のシナリオもあり得る。

20年夏に起きた600件に及ぶ暴動、略奪、放火は、24年から始まる予行演習に過ぎなかったということになる可能性がある。

ただ、今世界の平和を取り戻すことのできるリーダーはトランプしかいない。

最後に、副大統領は、今のところ、共和党の中にトランプを補佐できる良い人材が複数いると考えているのだが、前述のようなミシェル・オバマという最強の候補者が民主党から出馬する場合には、可能性はまだ低いがトランプ大統領と、民主党から離れ現在独立系候補として立候補しているロバート・F・ケネディ・ジュニアが副大統領候補になり戦うという構図もあり得ると考えている。

このケネディ・ジュニアの副大統領案も現実的には可能性は低いだろう。トランプがほぼブッチギリで共和党予備選のトップを走っている現在、前述したいくつかの民主党の仕掛ける反民主主義の手法が成功しない限り、トランプは大統領選の本戦に入っていくことになるだろう。

その場合の共和党の副大統領候補は、実はかなりいろいろな顔ぶれがある。トランプ大統領の17年からの副大統領はマイク・ペンスという元インディアナ州知事だった人間だ。

副大統領を選ぶ時にいくつかの基準があるが、その1つに大統領を補完できる要素があるかだ。つまり、予備選で勝利した大統領が本戦に入って相手の党の大統領候補と決戦に挑むわけだから、地理的には大統領の出身地から遠い場所、つまり東海岸出身者の場合は、西海岸の大きな州のカリフォルニア出身者だったりする。また年齢が高い大統領候補ならば若い副大統領候補が選ばれることが多い。ジョージ・ブッシュ・シニアの場合、年齢が高かったこともあり、まだ経験も浅い若いダン・クエールが選ばれた。若く新鮮さが売りのケネディの場合は、老練な政治家ジョンソンが副大統領候補という具合である。

最近で言えば、オバマは若くして黒人で初めての大統領選挙に打って出たわけだが、そこで民主党が選んだのは2度民主党の大統領予備選に出て負け続けていた、すでにベテランで年配の政治家バイデンという具合だ。黒人で若い大統領には老練で経験豊富な白人副大統領バイデンを候補にしたわけだ。また、３回目の挑戦でようやく民主党の大統領候補になることができたバイデンは自分が予備選で勝利した後、副大統領候補は「黒人女性の中から候補者を選ぶ」と宣言した。無論、これは民主党リベラルからは大歓迎を受けた。もし勝利すればアメリカ史上初の黒人女性副大統領が誕生するということになるからだ。そこで、選ばれたのがカマラ・ハリスだ。だが、この女性ほど人気・実力がなかった副大統領も珍しい。バイデンよりもいつも支持率が低いというあり得ない状態が就任後ずっと続いていたからだ。人間というのは、話し方、顔の表情、例えば笑い方一つでその人間性が出るものだ。アメリカ国民は瞬時にして彼女の人間性を見抜いてしまったのである。

話をトランプが予備選で勝利した場合の副大統領候補に戻そう。

一般的に言えば、トランプというすでに77歳になる白人男性ということになると、まず第一には若い年齢の候補が上がる。白人男性よりは女性のほうが有権者に受ける確率は高くなる。これは、バイデンもとった「アイデンティティ・ポリティクス」という、人間を黒人か白人か、男性か女性かなどの人種、性別などで役職を決めるというものだ。本来のその人間の実力やキャラクターで判断するのではないという左派のＷｏｋｅカルチャーを代表する考えだ。

だが、やはり大統領選挙ともなるとタテマエばかりは言っていられない現実もある。そうなると、トランプには女性候補が良いとなると、最近最も頻繁に名前が上がっていたのが、22年アリゾナ州知事選に挑戦した元ニュースキャスターのカリー・レイクだ。彼女は、地元アリゾナ州で最も人気の高いルックスと頭脳、弁舌と3つの揃った候補者で、そしてトランプの最大の支持層MAGAの考えをいつでも曲げることなく主張し、どんな状態でもトランプを支持し続けたことで、トランプと支援者の間から絶大な信頼と人気を誇っている。

私もCPACやTP USAイベントで幾度もスピーチを聞いたし、CPACでは我々のインタビューに応じてくれたがその周りへの気配りと応答の素晴らしさには目を見張った。彼女は女性ということであればトップランクにくるだろう。

トランプを熱烈に支持する女性下院議員も結構いて、これらの女性議員で本人もヤル気満々の人たちもいる。例えば私もインタビューしたことのあるマージョリー・テイラー・グリーンもそのうちの一人。トランプの強力支援議員フリーダム・コーカスのメンバーでもあり、トランプの信任も厚い。また、下院議員では有望な人に、エリス・ステファニックがいる。現在共和党で序列第3位の地位にいて、ハーバード大を卒業した大変弁舌の切れるまだ若い白人女性だ。彼女もトランプ熱烈支持で一度もぶれたことはない。個人的には私は彼女を推している。

また、異色なところでは、日本では私が『「アメリカ」の終わり』で初めて紹介した黒人女性保守活動家のキャンディス・オーウェンズだ。非常に弁舌が切れて、トランプの強烈な支持者であり、保守であるということで大変貴重な存在だ。ただ、子供が生まれたばかりで24年の副大統領候補には難しいだろう。

ただ、玄人筋の見方では、前トランプ政権で唯一の黒人閣僚であり住宅都市開発長官を務めたベン・カーソンだ。本職はドクターであり、非常に理知的で落ち着いた話をする人物で、攻撃・激情型のトランプとは好対照だ。トランプが23年出版した『トランプへの手紙(Letters to Tump)』は、トランプへの各国の代表や議会の大物たちがトランプへ宛てた手紙を写真と一緒に公開して本にしたものだが、その中に数少ない閣僚メンバーの一人として紹介されている。トランプが非常に信頼しているということが窺える。

最後にサプライズ候補として、メディア界一の人気ジャーナリストのタッカー・カールソンの名前も急浮上していることも付け加えたい。

最後になるが、24年11月の大統領選挙で、トランプが当選するか、または民主党のバイデンもしくはそれ以外の候補者が勝利するかで、日本外交も大きく変化せざる得ない。

これは悲しいかな、保護国、植民地の宿命である。民主党政権が継続する場合でも、日本人は日本の国益を第一に考えて行動するべきだろう。そのような人々を応援し日本の政策に反映させる努力は必要になる。

もし、トランプが勝利した場合には、日本は経済、安全保障を含めて、民主党政権よりはるかに明確に、アメリカと米軍基地に頼るだけの安全保障政策からの脱却を迫られることになるだろう。そのとき、自前の国防力の強化、将来の核武装を含めた国民の真剣な議論が必要になるだろう。今まで全て他人事で良かった世界情勢はこの数年で一気に様変わりしてしまったのである。私自身は、微力ながらその明日の日本の新しい方向に踏み出すため小さくとも貢献したいというつもりで行動している。

番外編

私が国際交流から得たもの

奇しくも祖父と同じく若くして渡米することになった

私の祖父の山中利一は、青森県津軽にある嘉瀬村（現 五所川原市）出身で、早稲田大学に入るために上京した。5尺8寸（175㎝）と当時としては体も大きく、早稲田ではラグビー部と相撲部の主将、それに体育会の会長をやっていたという。

早稲田在学中に国家主義運動家で右翼の巨頭と呼ばれた玄洋社主宰の頭山満の書生となり、頭山満の大アジア主義を学んだ。頭山翁の信頼を得て、北一輝や大川周明たちに師事し、二・二六事件の先駆けとなった三月事件などに積極的に関与していった。当時、アジア、アフリカでは欧米による植民地化がどんどん進んでいた。祖父は、特にアジアでは「日本が大アジア主義を主導してアジアの各国を独立・団結させせなければならない」という頭山翁の考え方に影響を受けた。利一青年は早稲田在学中に、西海岸に住む日本人や日系人たちを浪曲で慰問することを発案し、当時まだ若手だった浪曲師の寿々木米若（後に「佐渡情話」で一代を築く）と一緒に貨物船に乗ってアメリカに渡ったのだった。

カリフォルニアに着いて浪曲の慰問公演を始めたところ、地元の日本人や日系人たちから大歓迎を受けて多額のお布施をもらったという。そのお金で2人は半年くらいかけて最初の予定にはなかったヨーロッパ旅行も敢行した。アメリカに戻ると利一は南カリフォルニア大学に留学し、勉学とともにボクシングなどにも励んだ。利一は戦前、日本人として先駆けて国際交流に取り組んだわけである。帰国後、1940年の東京オリンピック開催が決まり、選手村が東京杉並区に作る構想が持ち上がった。東京オリンピックの推進のため、ボクシング、柔道、相撲、ラグビーなどをやっていた米国帰りの利一は英語もできるということで周囲の人たちから推されて杉並区議会議員選挙に出た。惜しくも落選したものの、37年(昭和12年)に日中戦争が起き、翌年、日本は東京オリンピックの辞退に追い込まれた。

それから1世紀の時間が流れて、孫の私・山中泉もアメリカに早い時期に渡ることになった。

20年以上続けてきたボランティアと国際交流

私は若いころに単身アメリカに渡り、数多くのアメリカ人に助けられて、小さいながらも自分の会社をいくつか立ち上げ、その間いくつもの日米交流プログラムを実行してきた。だから、アメリカと祖国である日本に何か恩返しができないかと思って、これまで経営と同時に数多くのボランティアにも取り組んできた。

それらは、日米のミュージシャンやアーティスト、ビジネスパーソンの交流プログラムだ。

25年以上前から日本からのビジネス・ミッションをアレンジし、ニューヨークやシカゴでの研修ツアーを行ってきた。また、この十数年ほどは私の業界の全米でトップランクのインフルエンサーたちを毎年日本へ招聘してきた。その一端もここでは話してみたい。

その1つは、自分の故郷である青森市の青森商工会議所青年部のメンバーの米国訪問ツアーなどを米国サイドでサポートすることだった。また、日本から毎年訪れる私の業界関係の人たちをアメリカの業界のイベントや企業での研修を行うプログラムも行ってきた。これらの活動は20年近く続けている。

さらに、自分の経営する事業が軌道に乗るに連れて時間の余裕もできてきたため、多くの国際交流活動に取り組むようにもなった。例えばシカゴでＮＰＯの国際交流法人を立ち上げ様々な活動を展開し、ミュージシャン、アーティスト、ビジネスマンなどとの交流も継続している。

私が関わった以上の活動のうち3つの具体的事例を紹介したい。

ニューヨーク商工会議所会頭を青森市と東京都に招聘

25年以上前から故郷の青森市に戻るたびに、青森商工会議所青年部の人たちと青森市の中心街活性化の相談をしてきた。その青年部で、前年に惨事が起きたニューヨーク市を２００２年

9月11日にお線香を持って慰問しようという計画が持ち上がった。それで、青年部の中心メンバーから、シカゴ在住でニューヨークにも1980年代から住んでいた私に対し、全てのアレンジをしてほしいという依頼が来たのである。

私はそれまでもいくつもの日米の文化交流活動を続けてきた。

2002年9月11日のニューヨークのグラウンドゼロは小雨が降って寒い日だったが、9・11テロで家族を失ったアメリカ人たちが大勢、グラウンドゼロの大きな穴の周りにある金網に貼りつけられた犠牲者の写真の前で祈りを捧げていた。そこに混じって、青森商工会議所青年部の15人もお線香を上げて犠牲者の冥福を祈ったのである。このメンバーたちに私は、ニューヨーク観光協会会長のティム・ザガット氏、ニューヨーク市開発局の幹部、著名なニューヨーク在住のジャーナリストである内田忠男さんなどの講演を聴いてもらった。

ザガット氏はアメリカレストランの格付け会社ザガット・サーベイ（Zagat Survey）の創業者で、当時はその会長だった。アメリカのレストランではミシュランの代わりにザガット・サーベイを使っている。このザガット氏から講演当日、「もし時間があればニューヨーク商工会議所会頭のキャサリン・ワイルドさんが来てくれるかもしれない」という驚きの知らせがもたらされた。それまで我々は、まさかニューヨーク商工会議所会頭がわずか15人のために来てくれるはずがないと諦めていたのだ。ニューヨーク商工会議所はロックフェラー財閥のデイヴィッド・ロックフェラー氏が長く会頭を務めていたことでも知られている。

当日、予想に反して彼女は現れた。1時間の講演を聴かせてもらい、メンバーたちは喜びに包まれた。彼女は開口一番、「2001年9月11日以降、全ての日本からの経済ミッションはキャンセルされました。その中で皆さんは初めての日本からの経済ミッションです。私はその事実に感動して今日ここに来たのです」と言った。

彼女は前年の9・11テロの後、ニューヨーク市の経済界の代表としてニューヨーク市行政およびアメリカ政府との間でのセキュリティや復興資金の配分等について話し合い、さらにアメリカ議会の公聴会でたびたび提言し惨禍を受けたニューヨーク市のために獅子奮迅の働きをした。当時、ニューヨーク州上院議員を務めていたヒラリー・クリントンともテロ後の善後策について頻繁にミーティングを重ねた人だ。

翌03年10月に青森市で日本商工会議所の女性会全国大会が開かれることになった。青森会議所女性会から「ぜひキャサリン・ワイルド会頭を基調講演者として招聘したい」という依頼が私に来た。これも無理だと思いながら交渉を重ねたところ、なんと数カ月後、ワイルドさんから日本訪問が可能であるとの連絡が来たのである。それで全国から集まった3000人もの女性会員の前で彼女の講演が実現した。私が通訳も務めた。

これには別のエピソードが重なることにもなった。日経新聞がニューヨーク会頭の初来日のニュースをいち早くつかみ、日経新聞の専務から私のところへ次のような打診があった。「今年、『江戸開府400年祭』のイベントを東京都主催・日経が協賛で開催します。ついては東京の姉妹都市のニューヨーク代表としてワイルド会頭と東京代表の石原慎太郎東京都知事による基調講演を行いたいので、協力していただけないでしょうか」。

私の日経新聞に対する印象はあまり良くないものの、その専務は何とか実現したいという思いが非常に強く、人間的にも立派な方だったので、私は1つの条件を提示したうえで、「彼女と交渉してみます」と答えた。条件とは、東京講演は青森講演の後にするということだ。それに彼は即、同意してくれた。

青森講演が終わった後、私がワイルド会頭を都庁に連れていき、石原都知事に紹介すると2人は和やかにエールを交わした。会場の国際フォーラムで2人は講演を行い、伊藤元重東大教授や福原義春資生堂会長などとともにパネルディスカッションにも参加した。

9・11テロは2年前に起こったばかりだった。大都市でのこのような大規模テロへのセキュリティや危機のコントロールについて彼女から助言があったことは、東京都にとっても大変に有意義だったと思う。ワイルドさんは現在、ニューヨーク連銀で民間人として唯一人理事を務めている。

ジャパン・ブルース・フェスティバルの開催

青森商工会議所青年部のメンバーたちはニューヨークで9・11テロの慰問を終えてから、私が住むシカゴ市の市庁舎も訪れた。このときたまたま催されていたのが、シカゴ市主催のシカゴ・ブルース・フェスティバルで、毎年30万人が集うというブルースでは世界最大のイベントである。シカゴはブルースの本場であり、ビートルズの面々も師匠と仰いだというバディ・ガイなど大勢の素晴らしいブルースミュージシャンを輩出している。

メンバーたちはこのフェスティバルにも足を運び、青森市でも同じようなイベントを開いたらどうかというアイデアを得たのである。そこから、当時の青森商工会議所青年部会長の故奈良秀則さんを中心に、寂れつつある青森市の商店街の再活性化を図るプロジェクトとしてブルース・フェスティバルの開催を目指そうということになった。

それがジャパン・ブルース・フェスティバル（ＪＢＦ）という名称で実現したのが２００３年だった。以後、毎年のように開催されるようになり、これにはシカゴ市も支援を惜しまず、毎回、シカゴのブルースミュージシャンを推薦してくれた。私も18年間毎年シカゴ市から推薦を受けたミュージシャンをＪＢＦに招聘するため交渉、契約を全て行った。また、シカゴ市と青森市の両市長の親書交換を18年間行ってきた。そして、19年には長くシカゴブルースの日本での普及に貢献してきたとのことで、当時のライトフット市長から青年部と私に感謝状をいただくイベントをシカゴ市に催していただいた。

また、津軽三味線奏者をシカゴ・ブルース・フェスティバルでデビューさせることもできた。今は、故郷青森へ少しは恩返しができたかなという気持ちだ。私はそういうＤＮＡを祖父から受け継いでいるのだろう。

素晴らしかったシカゴ・オリンピック招致委員会での体験

私は、シカゴ市と青森市のブルースを通じた交流プログラムに長く関わり、日米協会や在シカゴ日本国総領事館と一緒に日米交流プログラムをアレンジしてきた経緯がある。だからシカゴ市庁舎をよく訪問するし、そこには長い付き合いの幹部たちも多い。

２００８年ごろ、シカゴ市は２０１６年に開催されるオリンピックの開催都市に名乗りを上げた。当時の大統領はシカゴを地盤とするオバマで、長くシカゴ市長を務めていたリチャード・デイリー市長が音頭を取って16年シカゴ・オリンピック招致委員会が結成された。

私はシカゴ市との深い関係からその招致委員会に日本人として１人だけ参加し、オリンピック招致活動に協力することになった。これは今さらながらお金ではとても買えない素晴らしい経験だったと思う。それに、招致委員会には全米からオリンピックに絡む大手の弁護士事務所やコンサルティング会社から粒よりの人材が３００人ほど派遣されて世界中で招致活動を行った。そうした人たちやＵＳＯＣ（アメリカオリンピック委員会）の幹部たちとの交流も私にとって得難い貴重な財産となった。

招致委員会の会長には世界最大手の保険販売会社エーオンを一代で築いたパトリック・ライアン氏が就任した。それもあって、招致委員会の本部もエーオンの高層本社ビル内に置かれたのだが、この立志伝中の人物は人間的にも素晴らしい人物であった。

招致委員会での私の主な仕事は日本のメディア対応で、具体的には取材に訪れるＮＨＫ、時事通信、共同通信、読売新聞、日経新聞などの日本のメディアに対するシカゴでの取材のアシストやアレンジを行った。例えばＮＨＫと日経新聞の記者には招致委員会会長ライアン氏とのインタビューをアレンジしたりした。

また、招致委員会のアンバサダー（大使）という重要な役割に就いたのが、なんとナディア・コマネチだった。14歳のときに１９７６年モントリールオリンピックで10点満点を連発して3つの金メダルを獲得したことで世界的に有名になった。89年には共産主義国のルーマニアからアメリカに亡命しアメリカの市民権を獲得している。

日本の大手メディアの記者たちが一番喜んだのも、私がコマネチとの共同インタビューの場を設けたときである。記者が質問した中で1人が「あなたは、タケシという名前を知っているか？」と聞いた。ビートたけしの「コマネチ！」というギャグは日本でよく知られている。彼女は茶目っ気たっぷりに「もちろん知っている。タケシは私のおかげで大金を稼いだのだから、私に少し寄付してもいいんじゃないかしら」と答えて、「コマネチ！」の有名な格好まで披露してくれたのには、一同大笑いであった。彼女は14歳の繊細な体操選手から素晴らしく成熟した大人の女性へと変貌していた。

2009年にIOC（国際オリンピック委員会）は、16年オリンピックの最終候補であるシカゴ、東京、マドリッド、リオデジャネイロの4都市からリオを開催地として選定した。私は、このシカゴ・オリンピック招致委員会で主に日本メディアの対応を全て任されたのだが、毎日本部に行って、シカゴ招致委員会の幹部の人々や、米国オリンピック委員会（USOC）の人々との交流ができたことは大きな財産だった。その後、国際オリンピック委員会（IOC）の開催都市決定委員会のメンバー10数名が各候補都市を回り、最終都市決定の調査をするわけだが、その様子も間近にみることができ非常に参考になった。

無論、国際オリンピック委員の力は絶大であるが、米国オリンピック委員会の人々も誇りを持ってシカゴをアピールしていた。そこには、日本のオリンピック招致で大きな問題を起こした電通のような独占企業が存在していることもなく、外目にはかなりクリーンな招致活動をやっていたのではないか。このシカゴの目玉は無論コマネチだったが、当時のオバマ大統領はシカゴから出馬していたこともあり、デイリー市長を強力にバックアップしていた。

祖父、利一が1940年の「幻の東京オリンピック」の招致に関わってから1世紀近く経って、孫の自分もシカゴ・オリンピックの招致活動に関わったのである（私は招致活動をしていた時点では祖父の招致活動のことは全く知らなかった）。だから、これには何か偶然を超えた力があったのかもしれないと感じている。

ファウンテン倶楽部：会員が増えて情報も世界中から集まっている

前に少し触れたが、2022年11月に私が立ち上げたオンラインサロンが「ファウンテン倶楽部」である。これは、日本をはじめ、アメリカ、ヨーロッパ、その他の地域の反グローバリズムの政党、組織、草の根の人々と連帯を目指す人々の集まりだ。このオンラインサロンでは、「最新の世界情勢の情報を知る」、「それを発信する」、「教育活動を通して社会に貢献する」という目的で活動をしている。

当初、私は年に数回シカゴと日本を行き来しながら、アメリカの「真実」をユーチューブなどで発信し続けていたのだが、投稿に制限がかかることも多かった。

そこで、自由な発信を続けるために会員制のオンラインサロンを立ち上げたところ、日本のみならず、アメリカ、ヨーロッパをはじめ世界中から会員への参加が増えて、世界各地の情報も日々集まってくるようになったのである。

ＩＦＡの活動：反グローバリズムの行動を起こす人たちとの連帯

ファウンテン倶楽部を発端に、さらに世界の反グローバリストの愛国者たちと連携しつつ、国内でも自分たちの主張に沿う政党や政治家・各種団体を支援し、共に行動するために、「一般社団法人ＩＦＡ（International Freedom Alliance）」を２０２３年2月に設立した。

世界経済フォーラムを中心とする、選挙で選ばれていないエリートたちはヨーロッパ各国政府やアメリカ、日本国家の上に位置して過激な環境、医療、経済政策を強引に押し付けてくる。そんな世界に対抗する組織としてＩＦＡは活動を続けているのである。

自国の文化や伝統、歴史を大事にする各国の〝自国ファースト〟の草の根愛国者たちは、反グローバリズムを掲げ、敢然と立ち上がって行動を起こしている。ＩＦＡはそのような人々と連携し真実の情報を発信し続けるために、英語のニュースを第1次ソースによって確認し発信できる人材の育成も目指している。

この志に賛同してくださる方々に是非参加していただき、まだご支援にもご協力いただきたい。

（ファウンテン倶楽部連絡先：https://ifa21.com）

あとがき

2023年は私にとって、人生の中でも大きな節目であったと思う。

この年、ここ数年来徐々に弱りはじめていた母親が1月に他界した。その後の青森市での住居の始末、様々な手続きに追われ、悲しむ間もなく時間は過ぎていった。思った以上に父親の大切にしていた膨大な蔵書をはじめ、遺品が多くその後始末をどうするか思案していたのだが、最近日本での仕事が増えていることもあり、東京に拠点を構えることにした。その春先に、この3年ほどシカゴ東京間のZoomを通して、私のアメリカ発レポートを日本で発信してくれていた参政党の神谷宗幣副代表（現 代表）から、「泉さん、しばらく日本にいるならば、ぜひ次期衆議院選挙の東北ブロック比例で出てもらえないだろうか」とお誘いを受けた。

最初は冗談かと思ったが彼はそんなことで冗談を言う人間ではない。その後再度アプローチを受け、周囲の親しい人たちに相談したが、ほぼ否定的な反応だった。「立候補してもなんのメリットもない。むしろデメリットの方が多い」、「山中さんの言論活動に〝色〟がついてしまう」などなど。

私は神谷さんの「東北での参政党の知名度は極めて低い。当選の確率は非常に低い厳しい選挙区だ。だからこそ出てもらいたい」との最初の率直な言葉に何故か惹かれたのだ。これが「必ず当選するから出てほしい」というのならお断りしていただろう。神谷さんは「東北の人たちに、アメリカの崩壊の現状、そしてそれが日本にすぐ来ている日本の今の危機を伝えてもらいたい」と言われ、それならば自分にもできるかと考えたのである。

アメリカに行った1980年、英語もできず、お金を持って行ったわけでもない。小さな会社を興すときも金融機関や親兄弟からの支援があったわけでもない。いつも、一番不利なところから始めてきた。「そうか、そこまで不利な条件か。だったらやってみようじゃないか」と考えてしまう昔からのへそ曲がりなのである。格好良く言えば、チャンレンジが大きいほどやる気が出るというタイプである。

『「アメリカ」の終わり』と『アメリカの崩壊』という2冊の著書で、私が80年から知っているアメリカがここ最近、音を立てて崩れ落ちている様を描いた。そして、この『アメリカと共に沈む日本』では、その更なる泥沼のアメリカの現状と、その多くの悪影響が日本を驚くべきスピードで侵食している様を書いた。

ローマ帝国や過去の帝国は、外敵からではなく内部の敵（enemy within）によって滅びてきた。アメリカ帝国も例外ではない。昔日本人が憧れたアメリカは、すでにない。問題なのは、我が祖国日本である。この沈みゆく帝国にしがみつき最後まで、「アメリカさんが何かあれば助けてくれる」と戦後一貫した幻想に取り憑かれ、まだまだ安易に考えている政治家や官僚、マスコミ、一般の国民がいかに多いことか。

結論から言おう。「アメリカは有事があったときに日本を助けることはない」。その詳細は本書で書いた。

２０２４年初頭、本来なら新年で明るい希望に満ちた話を日本の読者には伝えたいところだ。だが、24年11月の大統領選挙とその前後、アメリカの内戦をはじめとし、世界は第三次世界大戦の危機さえ、起こり得る状況になっている。日本は、まさに地獄の淵に足をかけている。だが、アメリカ国民の大半の人々は、露ウクライナ戦争もイスラエル・ハマス戦争もまだ遠い異国の他人事なのだ。日本人も同様だろう。「ウクライナかわいそう、パレスチナ人かわいそう」とテレビは連日煽っている。しかし、大半の日本人は、ただそれを見て、その背後に何が本当に起きているかを知る由もなく流されて、家に帰って一杯飲む生活を続けている。

繰り返すが、２０２４年は大動乱の〝幕開け〟の年になる。

幸い、本書でも詳述したが、世界各国、日本でも激しいグローバリストの一極支配に気づき、敢然と声を上げ活動を始めた「反グローバリズム」の新しい政治勢力が現れ始めた。敵は巨額の資金と国家の上に位置する国際機関を仕切っている強大な者たちだ。だが、各国同様日本の草の根の愛国者たちは、自分たちの子供や孫の世代を守るために立ち上がっている。特に母親たちが立ち上がっている。今まで一度も政治に関わってきたこともなく、政治のイロハも知らない素人が政治に向かい合い、地方議員になっている人が徐々に増えている。だが、それはアメリカでも、ヨーロッパでも同じく起きていることなのだ。

長く厳しい闘いが始まった。

だが、最終的な勝利はこちら側にあると確信している。

私は、「人間50歳も過ぎたらこれからの日本を良くしていこうという若い人たちへの応援をするべきだ」と考え、行動をしている。今年は、日本人一人一人が行動する時だ。今まで同様腐敗した政府やシステムにただ任せ流されていくだけならば、ウクライナのような亡国の道を歩むことになるだろう。

本書を手にとった方の中には様々な状況の方がいて「自分一人では何もできない」と思っている方が大半だと思う。選挙があっても「自分一人が投票に行っても何も変わらない」と思っているから大半の人は投票に行かない。私もそうだった。しかし、それを続けている限りこの国の未来に待っているのはウクライナの姿だ。

私は、「知恵のある人は知恵を、カネのある人はカネを、両方ないけど時間がある人は時間を出せ。知恵もカネも時間もない人でも応援ぐらいできる」と話すことが多い。傍観者でいても何も変わらない。ただ、愚痴をこぼし政府や周囲の責任にしている惨めな人と変わらないだろう。

2024年、キーワードは〝アクション〟だ。

〝アクション、アクション、アクション〟

これを私の本書における最も重要なメッセージとしたい。

最後に、本書の執筆に多大な貢献をしてくれたファウンテン倶楽部の安達祐子さんと、シカゴでいつもアメリカ社会の現状や変質へ鋭い意見を提起してくれたジョン・ブカチェック、そしていつも私を全面的に応援してくれた亡き母の山中笑子に感謝を捧げたいと思う。

2024年元旦

シカゴ郊外にて　　山中　泉

＜著者略歴＞

山中　泉（やまなか・せん）

1958年青森市生まれ。

「一般社団法人 IFA（International Freedom Alliance）」代表理事、「ファウンテン倶楽部」創業者。東京とシカゴに拠点を置く。

青森高校卒業後1980年に渡米、イリノイ大学ジャーナリズム科卒業。ニューヨーク野村證券で米国株トレーダーとして勤務。在職中フジテレビのニューヨーク株式速報を担当し、後に起業。日米で会社経営、日本メーカー北米代表。北米向け農産品輸出・ブランディング会社役員を兼任。

二十数年間、日米の経営者、ミュージシャン、アーティストの交流プログラムを行う。

シカゴ、ニューヨークで、空手道師範代として4,000名の米国人を指導。

米国の経営者、指導者としての視点から、日本メディアでは全く報道されない“本当のアメリカの姿”をFacebookやYouTubeなど、SNSで発信。

2022年出版された『アメリカの崩壊』は前著『「アメリカ」の終わり』（いずれも方丈社）に続き、アマゾン・ベストセラー1位にランクイン。

アメリカと共に沈む日本

2024年３月１日　第１刷発行
2024年５月１日　第２刷発行

著　者　山中 泉
発行者　唐津 隆
発行所　株式会社ビジネス社
〒162-0805　東京都新宿区矢来町114番地 神楽坂高橋ビル5F
電話　03(5227)1602　FAX　03(5227)1603
https://www.business-sha.co.jp

〈装幀〉大谷昌稔
〈本文組版〉マジカル・アイランド
〈編集協力〉尾崎清朗、草野伸生
〈印刷・製本〉中央精版印刷株式会社
〈営業担当〉山口健志
〈編集担当〉近藤 碧

ISBN978-4-8284-2606-8